光緒庚寅秋
九月杭州許
氏榆園校刊

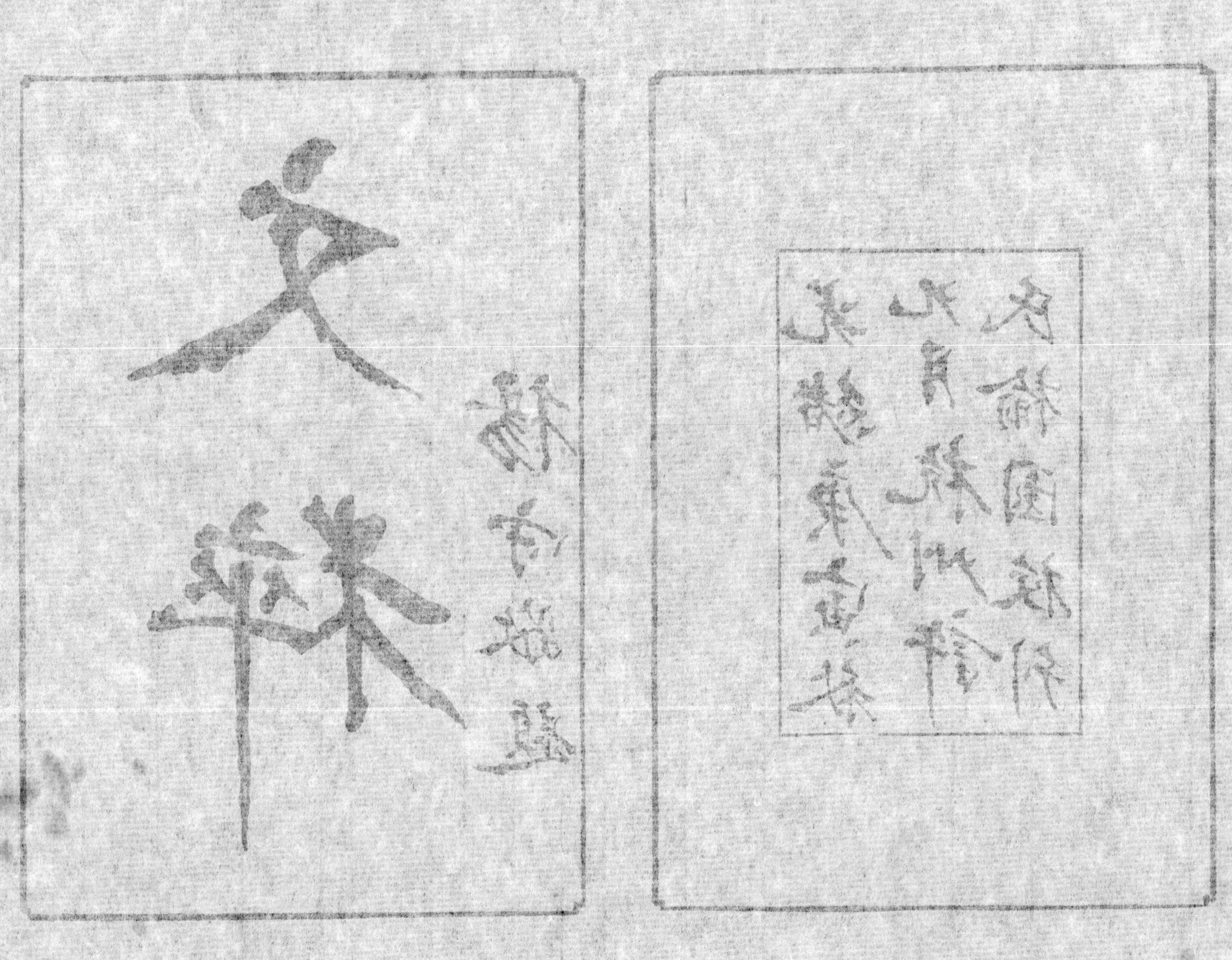

文粹卷第九十五

吳興　姚鉉纂

序五 總一十四首

著撰

大統紀序

陳鴻

敘曰臣聞日月星辰紀乎天也山嶽江河紀乎地也厤數正朔紀乎帝也正氣爲帝帝天號也統倫羣生冠耀元符牢籠乾坤之精彈壓山川之靈威武薄乎八紘文明光乎百代功格皇天名在祀典以揖讓而登皇極者迺可言矣開厤垂統自始皇焚書爲煙燼史官廢紀失傳其本後代儒者鑿天地心胷造生人聞見故諸緯書及皇甫謐譙周之徒得肆言上古之事恃無可驗競開異說臣少學乎史氏志在編年貞元丁酉歲登太常第始閒居遂志迺修

文粹卷第九十五

序五 總十四首

唱和[illegible]

[illegible]吏部[illegible]同[illegible]渭南縣日寄天長李少府唱和詩序 [illegible]

愚溪詩序 柳宗元

大統紀序 陳鴻

叙曰臣聞日月星辰紀乎天也山嶽江河紀乎地也[illegible]

[illegible]

大紀三十卷正統年代隨甲子紀年書事條貫興廢舉王制之大綱天地變裂星辰錯行興帝之理亡后之亂畢書之通諷諭明勸戒也七年書始就故絕筆於元和六年辛卯自太易至太昊年代史傳無正說且書皇甫謐似是之言昔太昊氏迎日推策造甲子臣以爲天地立於水成於氣氣萌萬物冒甲而生生壬寅帝首太昊歲起攝提故書太昊首甲寅皇甫謐云太昊在位一百一十年又云子孫五十九姓傳世五萬餘歲又有循蜚等九紀亦無定年陶弘景云欲以數紀之生求知百代之上誠可笑矣臣非知古者亦不敢強爲發正自太昊至炎帝世厤無明文存首而已舜行天子事八十年孔安國注云舜在位五十年三十而徵庸三十年在位歷試二年攝位二十八年服堯喪三年其一在三十之數爲天子五十年凡一百一十二歲崩堯帝天下七十載得舜試舜三年一在徵庸正月上日受終于文祖二十八載帝乃殂落堯二十八年合入舜厤通計在位八十一載堯在位七十二載即舜元年丙

子帝摯元年乙卯帝嚳元年乙巳顓頊元年丁亥少昊元年癸亥黃帝元年癸未炎帝元年癸未以是推之伏子賤最可憑也諸家年代厤不分出益三年當禹薦益於天七年而崩益行天子事三載禹喪畢讓於啟啟賢諸侯歸之益避於箕山之陽禹之聖啟之賢益之讓豈可廢而不明今以大唐元和六年太歲辛卯上推至炎帝元年癸未凡三千六百九年自軒轅至夏殷約世本以文宣王太史公堯典舜典商書夏書爲實錄周秦以降則按本朝國史春秋緯書云炎帝子孫帝臨至帝罔又有八代四百餘年據太史公黃帝與炎帝戰于阪泉之野易稱神農氏沒黃帝堯舜氏作今臣依周易史記以黃帝代炎帝緯命厤敘又稱少昊子孫相承十代四百餘年驗緯書起漢哀平間前代儒者好記異聞新進後學耳目固不可驗皇甫謐劉伯莊皆以舜爲戊寅年即位在位二十年遂使神農已來甲子相承錯謬按漢書舜生三十徵庸三十在位五十陟方迺死通服堯喪三年禹崩啟未立使三年何繫今出

益三年成禹志且堯禪舜二十八年而崩益行天子事三年爲益之事可也大道之行以天下爲家何必私三年於啟或云有窮伊尹周公共和如何當夏后相不恢于夏家羿爲相臣篡相自立后相奔死商邱浞又殺羿自立少康長迺復夏政自是之後備見於諸家年厤云

三傳指要序　劉軻

先儒以春秋之有三傳若天之有三光然然則春秋蓋聖人之文乎聖人之文天也天其少變乎故詩有變風易有變體春秋有變例變之爲義也非介然溫習之所至賾乎其粹者也軻常病先儒各固所習互相矛楯學者準裁無所豈先聖後經以闢後生者邪抑守文持論敗漬失據者之過邪次又病今之學者涉流而迷源舍經以習傳摭直言而不知其所以言此所謂去經緯而從組繢者矣既傳生於經亦所以緯於經也三家者蓋同門而異戶庸得不要其終以會其歸乎愚誠顓蒙敢會三家必當之言列於經下

撰成十五卷目之曰三傳指要冀始涉者開卷有以見聖賢之心焉俾左氏富而不誣公羊裁而不俗穀梁清而不短幸是非殆乎息矣庶儒道君子有以相期於孔氏之門

西漢文類序　柳宗元

左右史混久矣言事駮亂尚書春秋之旨不立自左邱明傳孔氏太史公述厤古今合而爲史記迄于今交錯相糾莫能離其說獨左氏國語紀言不參於事戰國策春秋後語頗本右史尚書之制然無古聖人蔚然之道大抵促數耗矣而後之文者襲之文之近古而尤壯麗莫若漢之西京班固書傳之吾嘗病其畔散不屬無以考其變欲采比義會年長疾作矜墮日甚未能勝也幸吾弟宗直愛古書樂而成之搜討磔裂捃摭融結離而同之與類推移不易時月而咸得從其條貫森然炳然若開羣玉之府指揮聯累圭璋琮璜之狀各有列位不失其序雖第其價可也以文觀之則賦頌詩歌書奏詔策辨論之詞畢具以語觀之則右史記言尚書國

語戰國策成敗興衰之說大備無不包也噫是可以爲學者之端邪始吾少時有路子者自贊爲是書吾嘉而序其意而其書終莫能具卒俟宗直也故刪取其序繫于左以爲西漢文類首紀殷周之前其文簡而野魏晉已降則盪而靡得其中者漢氏漢氏之東則旣衰矣當文帝時始得賈生明儒術武帝尤好焉而公孫弘董仲舒司馬遷相如之徒作風雅益盛敷施天下自天子至公卿大夫士庶人咸通焉於是宣於詔策達於奏議諷於辭賦傳於歌謠由高帝迄于哀平王莽之誅四方之文章蓋爛然矣史臣班孟堅修其書拔其尤者充于簡冊則二百三十年間列辟之達道名臣之大範賢能之志業黔黎之風習列焉若乃合其英精離其變通論次其序位必俟學古者興行之唐興用文理貞元間文章特盛本之三代浹于漢氏與之相準於是有能者取孟堅書類其文次其先後爲四十卷

樂府古題序　　元稹

詩訖于周離騷訖于楚是後詩之流爲二十四名賦頌銘贊文誄箴詩行詠吟題怨歎章篇操引謠謳歌曲詞調皆詩人六義之餘而作者之旨由操而下八名皆起於郊祭軍賓吉凶苦樂之際在音聲以度詞審調以節唱句度短長之數聲韻平上之差莫不由之準度而又區別其在琴瑟者爲操引採民甿者爲謳謠備曲度者總得謂之歌曲詞調斯皆由樂以定詞非選詞以配樂也由詩而下九名皆屬事而作雖題號不同而悉謂之爲詩可也後之審樂者往往采取其詞度爲歌曲蓋選詞以配樂非由樂以定詞也而纂撰者由詩而下十七名盡編爲樂府等題除鐃吹橫吹郊祀清商等詞在樂志者其餘木蘭仲卿四愁七哀之輩亦未必盡播於管弦明矣後之文人達樂者少不復如是配別但遇興紀題往往兼以句度短長爲歌詩之異劉補闕云樂府肇於漢魏按仲尼學文王操伯牙作水僊操齊沐犢作雉朝飛衛女作思歸引則不於漢魏而後始亦以明矣況自風雅至於樂流莫非諷興當時之

事以貽後世之人沿襲古題唱和重複於文或有短長於義咸為贅賸尚不如寓意古題刺美見事猶有詩人引古以諷之義焉曹劉沈鮑之徒時得如此亦復稀少近代惟詩人杜甫悲陳陶哀江頭兵車麗人等凡所歌行率皆卽事名篇無有倚傍余少時與友人白樂天李公垂輩謂是爲當遂不復擬賦古題昨南梁州見進士劉猛李餘各賦古樂府詩數十首中一二章咸有新意予因選而和之其有雖用古題全無古義者若出門行不言離別將進酒特書列女之類是也其或頗同古義全創新詞者則田家止述軍輸捉捕請先螻蟻之類是也劉李二子方將極意於斯文因爲粗明古今歌詩同異之旨焉

崇豐二陵集禮後序　柳宗元

傳曰詩書執禮禮不執則不行自開元制禮大臣諱避去國恤章而山陵之禮遂無所執世之不學者乃妄取預凶事之說而大典闕焉由是累聖山陵皆摭拾殘缺附比倫類已乃斥去其後莫能

徵永貞元和間天禍仍遘自崇陵至于豐陵不能周歲司空杜公由太常相天子遂爲禮儀使擇其僚以備損益於是河東裴瑾以太常丞隴西辛祕以博士用焉內之則攢塗祕器象物之宜外之則復土斥土因山之制上之則顧命典策與文物以授萬國下之則制服節文頒憲則以示四方由其肅恭禮無不備其包幷總統千載之盈縮羅絡旁午百氏之異同搜揚翦截而畢得其中顧問闕決而不悖於事議者以爲司空得其人而邦典不墜裴氏乃悉取其所刊定及奏復於上辨列於下聯百執事之儀以爲崇豐二陵集禮藏於太常書閣君子以爲愛禮而近古焉昔韋孟以詩禮傳楚而郊廟之制卒正於玄成鄭玄以箋注師漢而禪代之儀卒集於小同賈誼以經術起而嘉最好學盧植以儒學用而諶爲祭法舊史咸以爲榮今裴氏太尉公以禮匡義嗣侍中公以禮儀封禪祠部公以禮承大事大理公以禮輔東宮而瑾也以禮奉二陵又能成書以充其闕其爲愛禮近古也源遠乎哉瑾字豐叔其伯

仲咸以文學顯於世大理之兄正平節公以儀範成家道以文雅經邦政令相國郇公其宗子也郇公以孝友勤勞揚於家邦遊其門若聞韶頀入其廟如至鄒魯恩溢乎九族禮儀於他門則豐叔之習禮也其出於孝悌歟成書也其本於忠敬歟由於家而達於邦國其榮於史氏也果矣

元和辨謗略序　　　唐次

臣聞乾坤定而上下分矣至於播四時之候遂萬物之宜在驗乎妖祥之二氣祥氣降則爲豐爲茂妖氣降則爲沴爲災君臣立而卑高隔矣至於處神明之奥詢獻納之辭在審乎邪正之二說正言勝則爲忠爲讜邪言勝則爲讒爲諛故詩云萋兮斐兮成是貝錦刺其組織之甚巧也語曰邪徑敗良田讒口亂善人惡其萋言之蠹政也葢謂似信而詐似忠而非便便可以動心捷捷可以亂聽豈止鷄鳩彤卉薏苡珷珠者哉況立國立家自中徂外道偏則刑罰不中讒勝則忠孝靡彰遐覽前聞緬思近古招賢容鯁遠佞

嫉邪慮之則深防之未至伏惟睿聖文武皇帝陛下垂衣御寓化洽文明謨猷博訪於搢紳旌賁屢臻於巖穴尚復廣四目周四聰制治皆在於未萌作範將垂於不朽乃詔掌文之臣令狐楚等上自周漢下洎隋朝求史籍之忠賢罹讒謗之事迹敘瑕釁之本末紀謠詠之淺深編次指明勒成十卷昔虞舜有堲讒之命我皇修辨謗之書千古一心同垂至理將俟法宮退日昃之政别殿備乙夜之觀則聖慮先辨謗何由興上天不言而人自信矣

張隱居莊子指要序　　權德輿

今之畸人有隱居張氏者治莊生內外雜篇以向郭舊注未盡采其旨乃爲之訓釋猶懼學者之蕩於一端泥於一說又作三十三篇指要以明之葢弘道以周物闡幽以致用內外相濟始終相發其文約其旨明纍如珠貫渙若氷釋既而以予嘗所嚮總俾敘而辨之云道之用也經天地該萬物內化者可以澤四海外化者可以冥是非汎然順物內外偕化得其環中以應無窮古之善爲道

者如此洎乎性命耳目之相軋也不勝於物則相刃相劘徇乎無涯氣耗乎名聲之域心鬬於彼是之境蟁蟀滑滑封執逆旅懼力不足而羣奔姘馳莊生哀其如是乃退廣柱下之說弛張變化未始離乎道用虗靜恬澹無爲爲本焉故其言后王撫世也則曰靜而聖動而王無爲也而尊其言君子行道也則曰時命大行乎則返一無迹大窮乎則深根寧極窒乎欲則曰休影息迹達乎生則曰外形委蛻其放言大觀也則齊彭殤一堯桀等周公於猨狙比大舜於豕虱或至大適以爲累或至細乃牽乎用斯豈窮鄉一曲者所能通故有內外雜篇之異然則道之於物無不繇也行之者視其分隨其方而揭厲之則爲家爲邦爲仁爲智游之泳之日漸漬之化與心成不知所自則昧者蠍躁者靜循之而愈照冥之而愈妙攖寧懸解豈遠人哉隱居之意明此而已矣隱居名九垓別號渾淪子老於是學徧遊名山無常居不粒食與土木鳥獸同其外而中明也如是向使與漆園同代如邱明受經於仲尼矣其顏成子南榮趎之徒歟予摳衣於君實所辱命粗舉莊生之略直書隱居之志以冠於篇

注孫子序

杜牧

兵者刑也刑者政事也爲夫子之徒實仲由冉有之事也今者據案聽訟械繫罪人笞死於市者吏之所爲也驅兵數萬撅其城郭係累其妻子斬其罪人亦吏之所爲也木索兵刃無異意也笞之與斬無異刑也小而易制用力少者木索笞也大而難制用力多者兵刃斬也俱期於除去惡民安活善人爲國家者使教化通流無敢輒有不由我而自恣者其取吏也無他術也無異道也俱止於仁義忠信智勇嚴明也苟得其道一二者可以使之爲小吏盡得其道者可以使之爲大吏故用力少者其吏易得也功易見也用力多者其吏難得也功難就也止此而已無他術也無異道也自三代已降皆由斯也子貢頌夫子之德曰文武之道未墜於地在人賢者識其大者遠者不賢者識其小者近者季孫問於冉有

曰子於戰學之乎性達之也對曰學之季孫曰事孔子惡乎學冉有曰卽學於孔子孔子者大聖兼該文武並用適聞其戰法猶未之詳也復不知自何代何人分爲二道曰文曰武離而俱行因使搢紳之士不敢言兵或恥言之苟有言者世以爲麤暴異人人自不比數嗚呼亡失根本斯最爲甚周公相成王制禮作樂尊大儒術有淮夷叛則出征之夫子相魯公會於夾谷曰有文事者必有武備叱辱齊侯伏不敢動是二大聖人豈不知兵乎周有齊太公秦有王翦兩漢有韓信趙充國耿弇虞詡段熲魏有司馬懿吳有周瑜蜀有諸葛武侯晉有羊祜杜公元凱梁有韋叡元魏有崔浩周有韋孝寬隋有楊素國朝有李靖李勣裴行儉郭元振如此人者當其一時其所出計畫皆考古校今奇祕長遠策先定於內功後成於外彼壯健輕死善擊刺者供其呼召指使耳豈可知其所由來哉牧幼讀禮至於四郊多壘卿大夫之辱也謂其書眞不虛說年十六時見盜起圜二三千里係戮將相族誅刺史及其官屬

屍塞城府山東崩壞殷殷焉聲振朝廷當其時使將兵行誅者則必壯健善擊刺者卿大夫行列進退一如常時笑歌嬉遊輒不爲辱非當辱不辱以爲山東亂事非我輩所當知牧自此謂幼所讀禮眞妄人之言不足取信不足爲教及年二十始讀尚書毛詩左傳國語十三代史書見其樹立其國滅亡其國未始不由兵也主兵者聖賢材能多聞博識之士則必樹立其國也壯健擊刺不學之徒則必敗亡其國也然後信知爲國家者兵最爲大非賢卿大夫不可堪任其事苟有敗滅眞卿大夫之辱信不虛也因求自古以兵著書列於後世可以教於後生者凡十數家且數萬言其孫武所著十三篇自武死後凡千歲將兵者有成者有敗者勘其事跡皆與武所著書一一相抵當猶印圈模刻一不差跌武之所論大約用仁義使機權也武所著書凡十數萬言曹魏武帝削其繁剩筆其精切凡十三篇成爲一篇曹自爲序因注解之曰吾讀兵書戰策多矣孫武深矣然其所爲注解十不釋一此者蓋非曹不

能盡注解也予尋魏志見曹自作兵書十餘萬言諸將征伐皆以新書從事從令者克捷違教者負敗意曹自於新書中馳驟其說自成一家事業不欲隨孫武後盡解其書不然者曹豈不能邪今新書已亡不可復知予因取孫武書備爲之注曹之所注亦盡存之分爲上中下三卷後之人有讀武書予解者因而學之猶盤中走丸丸之走盤橫斜圓直計於臨時不可盡知其必可知者是知丸不能出於盤也議於廊廟之上兵形已成然後付之於將漢祖言指蹤者人也獲兔者犬也此其是也彼爲相者曰兵非吾事吾不當知君子曰叨居其位可也

般若心經贊序　　張說

萬行起於心心人之主三乘歸於一一法之宗知心無所得是眞得見一無不通是玄通如來說五蘊皆空人本空也如來說諸法空相法亦空也知法照空見空捨法二者知見復非空邪是故定與慧俱空中法入此門者爲明門行此路者爲超路非夫行深般若者其孰能證於此乎祕書少監駙馬都尉滎陽鄭萬鈞深藝之士也學有傳癖書成草聖迺揮灑手翰鐫刻心經樹聖善之寶坊啟未來之華業佛以無依相而說法本不生我以無得心而傳今則無滅道存文字意齊天壤國老張說聞而嘉焉讚揚佛事題之樂石

釋宗密禪源諸詮序　　裴休

圭峰禪師集禪源諸詮爲禪藏而都敘之河東裴休曰未曾有也自如來現世隨機立教菩薩開生據病指藥故一代時教開深淺之三門一眞淨心演性相之別法馬龍二士皆弘調御之說而空性異宗能秀二師俱傳達磨之心而頓漸殊稟天台專依三觀牛頭無有一法江西舉體全眞荷澤直指知見其他空有相破眞妄相攻反奪順取密指顯說故西域中夏其宗實繁良以病有千源藥生多品投機隨器不得一同雖俱爲證悟之門盡是正眞之道然諸宗門下通少局多故數十年來師法益壞以承稟爲戸牖各

自開張以經論爲干戈互相攻擊情隨函矢而遷變法逐人我以高低是非紛拏莫能辨析則向者世尊菩薩諸方敎宗適足以起諍後人增煩惱病何利益之有哉圭峰大師久而歎曰吾丁此時不可以默矣於是以如來三種敎義印禪宗三種法門融瓶盤釵釧爲一金攪酥酪醍醐爲一味振綱領而舉者皆順據會要而來者同趣尙恐學者之難明也又復直示宗源本末眞妄之和合空性之隱顯法義之差殊頓漸之同異遮表之迴互權實之深淺通局之是非莫不提耳而告之指掌而示之嚬伸以吼之柔和以誘之乳而藥之憂性命之夭傷也保而護之念水火之漂焚也孝而導之懼邪小之迷陷也（按以上二句宋刻本乙）揮而散之悲鬭諍之牢固也大明不能破長夜之昏慈父不能保身後之子若吾師者捧佛日而委曲迴照疑曀盡除順佛心而橫亘大悲窮劫蒙益是則世尊爲闡敎之主吾師爲會敎之人本末相符遠近相照可謂畢一代時敎之能事矣或曰自如來滅後未嘗大都而通之今一旦違宗

趣而不守廢闕防而不據無乃乖祕藏密契之道乎答曰佛於法華涅槃會中亦以融爲一味但昧者不覺故涅槃經云迦葉菩薩曰諸佛有密語而無密藏世尊讚之曰如來之言開發顯露清淨無翳愚人不解謂之祕藏智者了達則不名藏此其證也故王道興則外戶不閉而守在戎夷佛道備則諸法總持而防在外魔不當復執情攘臂於其閒也嗚呼後之學者當取信於佛無取信於人當取證於本法無取證於末習能如是則可以報圭峰大師劬勞之德矣

荆潭唱和詩序　韓愈

從事有示愈以荆潭酬唱詩者愈既受以卒業因仰而言曰夫和平之音澹薄而愁思之聲要妙讙愉之辭難工而窮苦之言易好也是故文章之作恆發於羈旅草野至若王公貴人氣得志滿非性能而好之則不暇以爲今僕射裴公開鎭蠻荆統郡惟九常侍楊公領湖之南壤地二千里德刑之政竝勤爵祿之報兩崇乃能

存志乎詩書寓辭乎詠歌往復循環有唱斯和搜奇抉怪雕鏤文字與韋布里閭頡頏專一之士較其豪釐分寸鏗鏘發金石幽眇感鬼神信所謂材全而能鉅者也兩府之從事與部屬之吏屬而和之苟在編者咸可觀也宜乎施之樂章紀諸冊書從事曰子之言是也告於公書以爲荆潭唱和詩序

聯句詩序　　呂溫

河東柳茂直與余有潘楊之睦且道義相得也余兄弟志守拙默不交當世晨昏之外靖專一室顧我者惟茂直而已以爲切磋益常事討論有宴息導志氣徒然起憤議時事予欲無言其或晴天曠景浩蕩多思永夜高月耿耿不寐或風露初曉悅若有得或煙雨如晦緬懷所思不然何以節宣慘舒暢達情性其有易於詩乎乃因翰墨之餘琴酒之暇屬物命篇聯珠迭唱審韻諧律同聲相應研情比象造境皆會亦猶衆壑合注寖爲大川羣山出雲混成一氣朗宣五色微闡六義雖小道必有可觀其在茲矣茂直命余

序述存以編簡俾後之觀者知吾黨所立之濫觴

崔吏部衛兵部同渭南尉日宿天長寺上方唱和詩序

權德輿

易之同人曰文明以健中正而應故道同於內而氣相求情發於中而聲成文以觀以羣以比以興清河崔處仁河東衛從周於是有清秋仁祠往復十七韻之作初二賢皆以秀造分校祕府弘文之書貞元初同爲渭南尉聯曹結綬相視莫逆處仁自府庭旋歸税駕於斯國門勝槩康莊在下馳車徒而走聲利者此爲咽喉外煩埃壒中孕閒曠晝懸清光夕湛虛明上方之鐘磬深夜之月露眺聽寂寞情靈感發投者報者無非瓊瑤如金絲應和孔翠翔集盡在是矣厥後同爲左右補闕從周以本官入爲翰林學士處仁累以尚書郎知制誥旣而處仁西垣卽眞從周復以外郎掌誥洎處仁遷小宗伯而從周卽眞俄掌貢舉實爲之代元和三年秋處仁爲吏部侍郎從周爲兵部侍郎重九休澣聯鑣道舊永懷曩篇

二紀于兹廬屋壁之剏壞詩文之磨滅不若刻勒片石之爲堅且久也惟二賢大雅閎達人倫龜玉更爲王陽迭爲田蘇便蕃清近烜赫章大其於爲霖爲礪四方之屬耳目久矣然則志氣之所舒英華之所攄其濫觴於此乎德輿與二君子同爲諫官同掌書命相繼典貢士分曹居中臺其閒交代迭處不可具舉敢叨益者之數實悅同心之言追琢既具序夫本末亦二君子之志也

愚溪詩序　　柳宗元

灌水之陽有谿焉東流入於瀟水或曰冉氏嘗居也故姓是谿爲冉谿或曰可以染也名之以其能故謂之染谿余以愚觸罪謫瀟水上愛是谿入二三里得其尤絕者家焉古有愚公谷今余家是谿而名莫能定土之居者猶齗齗然不可以不更也故更之爲愚谿愚谿之上買小邱爲愚邱自愚邱東北行六十步得泉焉又買居之爲愚泉愚泉凡六穴皆出山下平地蓋上出也合流屈曲而南爲愚溝遂負土累石塞其隘爲愚池愚池之東爲愚堂其南爲

愚亭池之中爲愚島嘉木異石錯置皆山水之奇者以余故咸以愚辱焉夫水智者樂也今是谿獨見辱於愚何哉蓋其流甚下不可以溉灌又峻急多坻石大舟不可入也幽邃淺狹蛟龍不屑不能興雲雨無以利世而適類於余然則雖辱而愚之可也甯武子邦無道則愚智而爲愚者也顏子終日不違如愚睿而爲愚者也皆不得爲眞愚今余遭有道而違於理悖於事故凡爲愚者莫我若也夫然則天下莫能爭是谿余得專而名焉谿雖莫利於世而善鑒萬類清瑩秀澈鏘鳴金石能使愚者喜笑眷慕樂而不能去也余雖不合於俗亦頗以文墨自慰漱滌萬物牢籠百態而無所避之以愚詞歌愚谿則茫然而不違昏然而同歸超鴻蒙混希夷寂寥而莫我知也於是作八愚詩紀於谿石上

文粹卷弟九十五

文粹卷第九十六

吳興　姚鉉　纂

序六 總一十七首

歌詩

小洞庭五太守讌集序

蘇源明

天寶十二載七月辛丑東平太守扶風蘇源明觴濮陽太守清河崔公季重魯郡太守隴西李公蘭濟南太守太原田公琦濟陽太守隴西李公倰于回源亭既尊封壤乃密惠好前此濟陽以河隄之虞夫役之弊請南略我宿及魯之中都宿人訟其不便源明請廢濟陽以平陰長清屬濟南盧東阿歸我陽穀隸濮陽役均三邦利倍二邑不可則分我壽西入濮陽東入濟陽魯之中都北入于

我書貢閶闔旨下陳留陳留太守王公盛德帝俞美才人與自總連率實惟澄清命屬官湖城主簿王子說會五太守于東平議縣乃不割郡亦仍舊已事修讌姑以爲別若夫階抱孤嶠軒飛慶潭阻殘暑於重林速高秋於絶壑其盤何有臑鹿胦羊其俎何有燔兔膾魴李下彫籠冰之以寒水瓜剖銛刃巾之以疏紘禮交乎上當世高賢之相亢樂動乎下前古中和之合作抑抑爲堂堂焉奚一人之富有而羣后之緝熙也司士庀舟以待司功殺設以告徹饌更服陳羞挈罇自回源起廣泊左拂鼇尾右遺吾山倒𡺸岫於波際指梁岑於林鈌移搖敞豁瞑眇虛曠太皞苗裔可記任宿伯禹山川空流濟汶所過多感祗牢爲歡婥態自成以留客嫮容色授以勸酒繁絲疏管紛爾自會雅舞清唱倏然同引既醉源明以手版扣舷而歌曰小洞庭兮牢方舟風嫋嫋兮離平流牢方舟兮小洞庭雲微微兮連絶岸仍瀾壯兮緬以沒重巖轉兮超以忽馮夷娭兮護輕橈蛟龍仔兮落增濤泊中湖兮澹而閒並曲溆兮悵而還適予手兮非予期將解袂兮蓼予思尙君子兮壽厥身承明主兮憂斯人歌闋鳥獸聞之低昂而相鳴魚鼈聞之沿洄而或躍茲官吏安次而不易彼人庶樂業而不遷喜之哉樂之哉字渦泊曰小洞庭盛集五太守高讌云爾

秋夜小洞庭離讌序

源明從東平太守徵國子司業須昌外尉袁廣載酒于回源亭明日遂行及夜留讌會莊子若訥過歸莒相里子同禕過如魏陽穀管城青陽權衡二主簿在座皆故人也徹饌新尊移方舟中有宿鼓有汶篁濟上嫣然能歌者五六人共載止回源東柳門入小洞庭遲夷傍偟眇緬曠漾流商雜徵與長言者啾焉合引潛魚驚或躍宿鳥飛復下眞嬉遊之擇耳源明歌曰浮漲湖兮莽條遥川后禮兮扈予橈橫增沃兮蓬僊延川后福兮易予舷月澄凝兮明空波星磊落兮耿秋河夜旣良兮酒且多樂方作兮柰別何曲闋袁子曰君公行當揮翰右垣豈止典胄米廩邪廣不敢受賜獨不念

四三賢源明醉曰所不與吾子及四三賢同恐懼安樂有如秋水晨前而歸及醒或說嚮之陳事源明局局然笑曰狂夫之言不足罪也乃志爲序

刻蘇公太守二文記　令狐楚

大和五年春三月兖海節度副使李員外虞致本府書幣修好于我卒事返命且以故太守蘇源明集中小洞庭讌集及序二首見寄請余立一貞石識其故處云余爲之考尋圖牒詢訪耆老自五六日至于旬時茫然曾不得回源亭渦泊依俙髣髴者從天寶十二載而下及茲八十年源明有盛名於朝遺愛在鄆嘗與五太守會集讌游之所形於文字冏若金玉若良二千石好事君子接武而來縱不能恢張增飾之必當思人愛樹存爲此州故事悲夫恩澤之外四紀有餘自蕩平而還三政相繼不銛鋒摩刃以戰鬬爲務則長臂利爪而攫拾是謀視嘉山水好風月如越人之髭鬢者之鑑非惟無用又從而仇之余以爲不可使中行子之文無傳于此地乃於溪亭作金石刻引而記之亦李志也秋七月二十七日天平軍節度等使檢校尚書右僕射鄆州刺史兼御史大夫彭陽縣公令狐楚詞

瑯琊溪述序　獨孤及

隴西李幼卿字長夫以右庶子領滁州而滁人之饑者粒流者召乃至無訟以聽故居多暇日常寄傲此山之下因鑿石引泉釃其流以爲溪溪左右建上下坊作禪堂琴臺以環之探異好古故也按圖經晉元帝之居瑯琊邸而爲鎮東也嘗遊息是山厥跡猶存故長夫名溪曰瑯琊他日賦八題題於岸石及亦狀而述之是歲大厤六年歲次辛亥春三月丙午日述曰

自有此山便有此泉不濬不刊幾萬斯年造物遺功若俟後賢天鍾靈奇公潤色之疏爲迴溪削成崇臺山不過十仞意擬衡霍溪不袤數丈趣侔江海知足造適境不在大怪石皚皚涌湍潺潺洞壑無底雲興其間仲春氣至萬木華發亘陵被坂吐火噴雪公登

山樂樂者畢同無小無大乘興從公公之舉觴酒酣氣振溪水爲主而身爲賓捨琵詠歌同風舞雩時時醉歸與夕鳥俱明月滿山朱轓徐驅石門松風聲類笙竽鳥乎人實弘道物不自美向微羊公遊漢之涘峴山寂寞千祀誰紀彼美新溪維公嗣之念茲疲人繄公其肥後之聆淸風而歎息者挹我於泉乎已而

泛沔州城南郎官湖詩序 詩卌　李白

乾元歲秋八月白遷於夜郎遇故人尙書郎張謂出使夏口沔州牧杜公漢陽宰王公觴于江城之南湖樂天下之再平也方夜水月如練清光可掇張公以殊有勝槩四望超然乃顧白曰此湖古來賢豪遊者非一而枉踐佳境寂寥無聞夫子可爲我標之嘉名以傳不朽白因舉酒酹水號之曰郎官湖亦猶鄭圃之有僕射陂也席上文士輔翼岑靜以爲知言乃命賦詩紀事刻石湖側將與大別山共相磨滅焉

張公多逸興共泛沔城隅當時明月好不滅武昌都四座醉清光

爲歡古來無郎官愛此水因號郎官湖風流若未滅名共此山俱

裴冑先宅讌集賦詩序 詩卌　獨孤及

先是先清明一日右金吾倉曹辟華陳嘉穀醴清酤會河東裴冀滎陽鄭袁河東獨孤及于署之公堂引滿舉白者自午及子促席于花陰賦詩于月波樂極不醉夜艾而罷後清明三日二三子春服既成思欲修好尋盟選勝卜晝裴侯是以再有投轄之會是會也鄭不至吾兄惠然而來堂有琴庭有篠芳草數步落花滿席中和子冠烏紗帽相與箕踞嘔噱傲睨相視稱觴乎其閒趣在酒中判爲酩酊之客家本秦也能無烏烏之聲其詩曰

上天垂光兮熙予以青春今日何日兮共此良辰與君纘濁醪而藉落英兮不知年華之相親蹇淹留以醉止孰云含意而未申

歌數闋裴側弁慢罵曰百年歡會鮮於別離知開口大笑幾日及此日新無已今又成昔不紀而賦之如春風何其演爲連珠以志此會

冬夜讌蕭十丈因餞殷郭二子西上詩序

息夫牧

志有之事三如一者惟君父師乎所以生之教之祿之生而不教不可立也教而不成不可祿也故師勉乎教而學者勵乎已已立學成而會友以講之是以伯魚趨庭曾參避席卜商投杖厥義於是乎在冬十有二月家君宰邑許下夫子問津潁上二賢將馳會府皆適茲土夜處狹室列座有位尊卑儼如或捧觴上壽或樞衣請益始敦詩以說禮終講信而修睦然後文飽於道義潤其身頃夫子升堂之後若盧貫劉尹之徒半紀間接武鳴躍實夫子訓之導之斯至也今殷郭二子天資才幹而加之鏃羽觀光王庭俯拾地芥其誰曰不然飛霜霭林寒氣總至月落西戶夜將向晨座隅謙謙畢醉溫克則知孔門讌餞異於他日二三子終身識之夫子以家君政事百里無事命門弟子賦鳴琴亦以釋仳離之怨焉小子不敏忝居門人之末敢不敬書其事云

有琴斯鳴于宰之庭君子莅止其心孔平政既告成德以永貞鳴琴有術于潁之畔彼之才髦其年未冠聞詩聞禮斐兮璨璨鳴琴其怡于潁之湄二子翰飛言戾京師有鬱者桂載攀其枝琴既鳴矣宵既清矣烘煁有煒酒醴惟旨喟我觴歎吁其別矣

遊大林寺序

白居易

余與河南元集虛范陽張允中南陽張深之廣平宋郁安定梁必復范陽張特東林寺沙門法演智滿中堅利辯道深道建神照雲臯息慈寂然凡十有七人自遺愛草堂歷東西二林抵化城憩峰頂登香鑪峰宿大林寺大林窮遠人跡罕到環寺多清流蒼石短松瘦竹寺中惟板屋木器其僧皆海東人山高地深時節絕晚于時孟夏如正二月天梨一作山桃始華澗草猶短人物風候與平地聚落不同初到恍然若別造一世界者因成口號絕句云人間四月芳菲盡山寺桃花始盛開長恨春歸無覓處不知轉入此中來既而周覽屋壁見蕭郎中存魏郎中弘簡李補闕渤三人姓名文

句因與集虛輩歎且曰此地實匡廬閒第一境由驛路至山門曾無半日程自蕭魏李遊迨今垂二十年寂寥無繼來者嗟乎名利之誘人也如此時元和十二年四月九日太原白樂天序

石鼎聯句詩序 詩卅

韓愈

元和十二年一作七年十二月四日衡山道士軒轅彌明自衡山來舊與劉師服進士衡湘中相識將過太白知師服在京夜抵其居宿有校書郎侯喜新有能詩聲夜與劉說詩彌明在其側皃極醜白鬚黑面長頸而高結喉中又作楚語喜視之若無人彌明忽軒衣張眉指鑪中石鼎謂喜曰子云能詩能與我賦此乎劉往見衡湘間人說云年九十餘矣解捕逐鬼物拘囚蛟螭虎豹然不知其實能否也見其老頰皃敬之不知其有文也聞此說大喜即援筆而題其首兩句次傳於喜喜踊躍即綴其下云云道士啞然笑曰子詩如是而已乎即袖手竦肩倚北牆坐謂劉曰吾不解世俗書子第為我書因高吟曰龍頭縮菌蠢豕腹脹膨脝初不似經意詩旨有似譏喜二子相顧慙駭欲以多窮之即又為而傳之喜喜思益苦務欲壓道士每營度欲出口吻聲鳴益悲操筆欲書將下復止竟亦不能奇也畢即傳道士道士即高踞大唱曰劉把筆吾詩云云其不用意而益奇出不可附說語皆侵劉侯喜益忌之劉與侯皆已賦十餘韻彌明應之如響皆穎脫含譏諷夜盡三更二子思竭不能續因起謝曰尊師非世人能出也某服矣願為弟子不敢更論詩道士奮髯曰不然章不可以不成也又謂劉曰把筆來吾與汝就之即又唱出四十字為八句書既止即讀讀畢謂二子曰章不已就乎二子齊應曰就矣道士曰此皆不足與語此寧為文耶吾就子所能而作耳非吾之所學於師而能者也吾所能者子皆不足以聞也獨文乎哉吾語亦不當聞矣吾閉口矣二子大懼皆起立牀下拜曰不敢他有問也願聞一言而已先生稱吾不解人間書敢問解何書請聞此而已道士寂然若無聞也累問不應二子不自得即退就座道士倚牆睡鼻息如雷鳴二子怛然失色不敢喘

斯須曙鼓鼕鼕二子亦困睡及覺日已上顧覷道士不見即問其童奴奴曰天且明道士起出門若將便旋然奴怪久不返即出到門覷無有也二子驚惋自責若有失者閒遂詣余言不能識其何道士也嘗聞有隱君子彌明豈其人耶韓愈序

巧匠斲山骨刳中事煎烹師服直柄未當權塞口且吞聲喜龍頭縮菌蠢豕腹脹膨脝彌明外包乾蘚文中有暗浪驚師服在冷安自足遭焚意彌貞喜謬當鼎鼐間妄使水火爭彌明大似烈士膽圓如戰馬纓師服上比香鑪尖下與鏡面平喜秋瓜未落蔕凍芋強抽萌彌明一塊元氣閉細泉幽竇傾師服不植輪寫處爲知懷抱清喜方當紅鑪燃益見小器盈彌明睆睆無刃跡團團類天成師服遥疑龜負圖出曝曉正晴喜旁有雙耳穿上爲孤髻撑彌明或訝短尾銚又似無足鐺師服可惜寒食毬擲在傍路阬喜何當出灰炮無計離瓶罌彌明陋質荷斟酌狹中貴提擎師服豈能煮仙藥但未污羊羹喜形模婦女笑量度兒童輕彌明徒示堅重性

不過升合盛師服傍似廢轂仰側見折軸橫喜時於蚯蚓竅微作蒼蠅鳴彌明以茲飜溢愆實負任使誠師服常居顧盻地敢有漏泄情喜寧依煖熱弊不與寒涼并彌明區區徒自效瑣瑣不足呈師服迴旋但兀兀開闔惟鏗鏗喜全勝瑚璉貴空有口傳名豈比俎豆古不爲手所撜磨礱去圭角浸潤著光明願君莫嘲誚此物方施行彌明四韻並彌明所作

翫月詩序 詩并 歐陽詹

月可翫翫月古也謝賦鮑詩朓之庭前亮之樓中皆翫也貞元十二年甌閩君子陳可封遊在秦寓于永崇里華陽觀予與鄉人安陽邵楚萇濟南林蘊潁川陳詡亦旅長安秋八月十五日夜詣陳之居修厥翫事月之爲翫冬則繁霜太寒夏則蒸雲太熱雲蔽月霜侵人蔽與侵俱害乎翫秋之於時後夏先冬八月於秋季始孟終十五於夜又月之中稽於天道則寒暑均取於月數則蟾兔圓況埃壒不流大空悠悠嬋娟徘徊桂華上浮昇東林入西樓肌骨

與之疏涼神氣與之清冷四君子悅而相謂曰斯古人所以爲翫也既得古人所翫之意宜襲古人所翫之作翫月詩云

八月三五夕舊嫌蟾兎光斯從古人好共下今宵堂素魄皎孤凝芳輝紛四揚徘徊林上頭泛灩天中央皓露助流華輕飈佐浮涼清冷到肌骨潔白盈衣裳惜此苦宜翫攬之非可將含情顧廣庭願勿沈西方

送陸歙州詩序 詩并

韓愈

貞元十八年二月十八日祠部員外郎陸君出刺歙州朝廷夙夜之賢都邑游居之良齎咨涕洟咸以爲不當去歙大州也刺史尊官也由郎官而往者前後相望也當今賦出於天下江南居十九宣使之所察歙爲富州宰臣之所薦聞天子之所選用其不輕而重也較然矣如是而齎咨涕洟以爲不當去者何也蓋陸君之道行乎朝廷則天下望其賜刺一州則專而不能咸謂先一州而後天下豈吾君與吾相之心哉於是昌黎韓愈道願留者之心而泄其思作詩曰

我衣之華兮我佩之光兮陸君之去兮誰與翱翔兮斂此大惠施于一州今其去矣胡不爲留我作此詩歌于逵道無疾其驅天子有詔

送劉太眞詩序 詩并

蕭穎士

記有之尊道成德嚴師其難哉故在三之禮極乎君親而師也參焉無犯與隱義斯貫矣孔聖稱顏子有視余猶父歎其至歟今吾於太眞也然乎爾且後進而余師者自賈邕盧蕘之後比歲舉進士登科名與實皆相望騰遷凡十數子其佗自京畿太學踰于淮泗行束脩已上而未及門者亦云倍之余弗敏曷云當乎而莫之讓蓋有來學微往教蒙匪余求若之何其拒哉猗爾之所以求我之所以誨學乎文乎學也者非云徵辯說摭文字以扇夫談端輮厥詞意其於識也必鄙而近矣所務乎憲章典法膏腴德義而已文也者非云尙形似牽比類以局夫儷偶放於奇靡其於言也必

淺而乖矣所務乎激揚雅訓彰宣事實而已衆之言文學者或不然於戲彼以我爲僻爾以我爲正同聲相求爾後我先安得而不問哉問而教教而從從而達欲辭師也得乎孔門四科吾是以竊其一矣然夫德行政事非學不言言而無文行之不遠豈相異哉四者一夫正而已矣故曰詩三百一言以蔽之曰思無邪不正之謂也吾嘗謂門弟子有尹徵之學劉太眞之文首其選焉今茲春隴首領元戎書記之事四牡騑騑薄言旋歸聲動日下浹於寰外連茹甲乙淑問休闡爲時之冠浹旬有詔俾徵典校祕書且馳傳而太眞元昆前已甲科（太眞兄太沖以去歲登科）未始閒歲翩其連舉謂予不信豈其然乎夏五月迴櫂京洛告歸江表岵兮屺兮歡旣萃矣兄矣弟矣榮斯繼矣搢紳之徒習禮聞詩者僉曰劉氏二子可謂立乎身光乎親蹈極致於人倫者矣上京餞別庭闈望歸從古以來未之聞也余羈宦此都色斯云舉彼吳之邱曾是昔遊心乎往矣有懷伊阻行矣風帆載飛載揚爾思不及黯然以泣先師孝悌謹

信汎愛親仁餘力學文之訓爾其志之南條北固朱方舊里昔與太眞初會於茲余之門人有柳弁者前是一歲亦嘗覲茲地其請業也必始乎此焉弁也有尹之敏劉之工其少且疾故莫之逮太眞亦嘗曰何敢望弁弁與眞難乎其相奪矣緬彼江陰京阜是臨言念二子從予于此爾云過之其可忘諸同是餞者賦江有歸舟以寵夫嘉慶焉爾詩曰

江有歸舟亦亂其流之子言旋嘉名孔修揚于王庭允焯其休舟旣歸止人亦榮止兄矣弟矣孝斯踐矣稱觴宴喜于岵于屺彼逝惟帆匪風不揚有彬伊文匪學不彰予其懷而勉爾無忘

送李愿歸盤谷序　韓愈

太行之陽有盤谷盤谷之閒泉甘而土肥草木叢茂居民鮮少或曰謂其環兩山之閒故曰盤或曰是谷也宅幽而勢阻隱者之所盤旋友人李愿居之愿之言曰人之稱大丈夫者我知之矣利澤施於人名聲昭于時坐于廟堂進退百官而佐天子出令其在外

則樹旗旄羅弓矢武夫前呵從者塞途供給之人各執其物夾道而疾馳喜有賞怒有刑才俊滿前道古今而譽盛德入耳而不煩曲眉豐頰清聲而便體秀外而惠中飄輕裾翳長袖粉白黛綠者列屋而閒居妒寵而負恃爭妍而取憐大丈夫之遇知於主上用力於當世者之所爲也吾非惡此而逃之是有命焉不可幸而致也窮居而野處升高而望遠坐茂樹以終日濯清泉而自潔采於山美可茹釣於水鮮可食起居無時惟適之安與其譽於前孰若無毀於其後與其樂於身孰若無憂於其心車服不維刀鋸不加理亂不知黜陟不聞大丈夫不遇於時者之所爲也我則行之伺候於公卿之門奔走於形勢之途足將進而趑趄口將言而囁嚅處污穢而不羞觸刑辟而誅戮僥倖於萬一老死而後止者其於爲人賢不肖何如也昌黎韓愈聞其言而壯之與之酒而爲之歌

曰

盤之中維子之宮盤之土維子之稼盤之泉可濯可沿盤之阻誰爭子所窮而深廓其有容繚而曲如往而復嗟盤之樂兮樂且無央虎豹遠跡兮蛟龍遁藏鬼神守護兮呵禁不祥飲且食兮壽而康無不足兮奚所望膏吾車兮秣吾馬從子于盤兮終吾生以徜徉

送潭州道林疏言禪師太原取經詩序

李節

業儒之人喜排釋氏其論必曰禹湯文武周公孔子之代皆無有釋釋氏之興衰亂之所奉也宜一埽絕剗革之使不得滋釋氏源於漢流於晉瀰漫於宋魏齊梁陳隋唐孝和聖眞之閒論者之言粗矣抑能知其然未知其所以然者也吾請言之昔有一夫膚腯而色凝氣烈而神清未嘗謁醫未嘗禱鬼恬然保順罔有札瘥之患故善也卽一夫不幸而有寒暑風溼之痾背癰而足躄耳聵而目瞑於是攻熨之術用焉禳禬之事紛焉是二夫豈特相反耶葢病與不病異勢也嗟乎三代之前世康矣三代之季世病矣三代

之前禹湯文武德義藩之周公孔子典教持之道風雖衰漸漬猶存詐不勝信惡知避善於是有擊壤之歌由庚之詩人人而樂也三代之季道風大衰力詐以覆信扇澆而散朴善以柔退惡以强用廢井田則豪寠相乘矣貪封略則攻戰亟用矣務實帑則聚斂之臣升矣務勝下則掊克之吏貴矣上所以御其下者欺之下所以奉其上者苟之上下相仇激爲怨俗於是有汨羅之客負石之夫人人愁怨也夫釋氏之教以清淨恬虛爲禪定以柔謙退讓爲忍辱故怨爭可得而息也以菲薄勤苦爲修行以窮達壽夭爲因果故賤陋可得而安也故其喻云必煩惱乃見佛性則其本衰代之風激之也夫衰代之風舉無可樂者也不有釋氏以救之尚安所寄心乎論者不責衰代之俗而尤釋氏之盛則是抱疾之夫而責其醫禱攻療者也徒知釋因衰代而生不知衰代須釋氏之救也何以言之耶夫俗既病矣人既愁矣不有釋氏使安其分勇者將奮而思鬭智者將靜而思謀則阡陌之人將紛紛而羣起矣今釋氏一歸之分而不責於人故賢智儁朗之士皆息心焉其不能達此者愚人也惟上所役焉故離衰亂之俗可得而安賴此也若之何而翦去之哉論者不思釋氏扶世助化之大益而疾其雕鏤綵繪之小費吾故曰能知其然不知其所以然者也會昌季年武宗大翦釋氏巾其徒且數萬之民隸其居容貌於土木者沈諸水言詞於紙素者烈諸火分命御史乘馹走天下察敢隱匿者罪之由是天下名祠珍宇毁撤如埽天子建號之初雪釋氏之不可廢也詔徐復之而自湖已南遠人畏法不能酌朝廷之體前時焚撤書象殆無遺者故雖明命復許制立莫能得其書道林寺湘川之勝遊也有釋疏言警辯有謀獨曰太原府國家舊都多釋祠我聞其帥司空范陽公天下仁人我第往求購釋氏遺文以惠湘川之人宜其聽我而助成之矣卽杖而北遊旣上謁軍門范陽公果諾之因四求散逸不成蘊帙者至釋祠不見焚而副剩者又命講勾以補繕闕漏者月未幾凡得釋經五千四十八卷以大中九

年秋八月輦自河東而歸於湘焉噫釋氏之助世旣言之矣向非我君洞鑒理源其何能復立之耶旣立之且亡其書非有疏言識遠而誠堅孰克弘之耶吾喜疏言奉君之令演釋之宗不憚寒暑之勤德及遠人爲敘其事且贈以詩詩曰

湘川狺狺兮俗獷且狠利殺業偷兮吏莫之馴緊釋氏兮易暴使仁釋何在兮釋在斯文湘水滔滔兮四望何已猨狖騰拏兮雲樹靡靡月沈浦兮煙暝山橘席卷兮櫓牀閒偃仰兮嘯詠鼓長波兮何時還湘川超忽兮落日晼晼松覆秋亭兮蘭披春畹上人去兮幾千里何日同遊兮湘川水

送小雞山樵人序　陸龜蒙

小雞山在震澤西出吳胥門背朝日行四十里得野步市曰光福光福西五里得土山山土多石寡無大林木卒生小櫟樸樕皆薪材直吳之爨此爲助焉連延廣袤不一其主爲書畫疆畛以相授自畛至麓凡二百弓東北倍高而加半焉余所置多少如此余家大小之口二十月費米十斛飯成理魚蔬輩十斛薪然後已四時賓祭沐浴澣濯疾病湯藥糜粥在外歲入五千束足矣其掌而供事者顧及小雞之樵甿也乾符六年春弗雨夏支流將絕八月暴雨而巨艑可實而行之矣九月朔方置薪二百五十於門召而責之曰吾一夏來撤敗屋拔庭草以炊雨之明日望爾來矣何數廉而至晩得非赭吾山而爲汝之利耶老而欺如名惡何及笑曰吾年餘八十矣元和中嘗從吏部遊京師人言國家用兵帑金窖粟不足用當時江南之賦已重矣殆今盈六十年賦數倍於前不足之聲聞於天下得非專地者之欺甚乎吾有丈夫子五人諸孫亦有丁壯者自盜興已來百役皆在亡無所容又水旱更害吾稼未即死不忍見兒孫寒餒之色雖盡售小雞山之木不足以濡吾家矧一二買名爲偷乎今子一煬竈不給而責吾之深吾將欲移其責於天下之守則吾死不恨矣余歎之曰汝之言信也然不當發於予汝姑歸與之酒繼之以歌云

長其船兮利其斧輸予薪兮勿予侮田予登兮穀予庾突晨煙兮蓬縷縷窗有明兮編有古飽而安兮惟編是伍時不用兮吾無汝撫

雲母泉詩序 詩卌 李華

洞庭湖西玄石山俗謂之墨山山南有佛寺寺倚松嶺松嶺下有雲母泉泉出石隙引流分渠周徧庭宇發源如乳湩末派如湑漿烹茶淅蒸灌園漱齒皆用之大浸不盈大旱不耗自墨山西北至石門東南至東陵廣輪二十里盡生雲母牆階道路烱烱如列星井泉溪澗色皆純白鄉人多壽考無癖痼疥搔之疾華深樂之潁川陳公天寶中與華同爲諫官公性與道合忽於權利方挂冠投簪顧華以名山之契乾元初公貶清江丞移武陵丞華貶杭州司功恩復左補闕上元中俱奉詔徵公自清江至武陵道路多虞制書不至華泝江而西次于岳陽江山延望日夕相顧屬思與高賢共飲雲母之泉躬耕墨山之下敢違朝命以徇私欲秋風露寒洞

庭微波一聞猨聲不覺淚下況支離多病年齒始衰願餌藥扶壽以究無生之學事乖志負火爇予心寄懷此篇亦以書公之志也

晨登玄石嶺嶺上寒松聲朗日風雨霽高秋天地清山門開古寺石竇含純精洞澈淨金界貪緣流玉英澤藥滋畦茂氣染茶甌馨飲液盡眉壽滄和皆體平瓊漿駐容髮甘露瑩心靈岱谷謝巧妙匡山徒有名願言構蓬華荷鍤引泠泠訪道出人世招賢依福庭此心不能已寤寐見吾兄曾結潁陽契窮年無所成東西同放逐虵豕尚縱橫江漢阻攜手天涯萬里情恩光起憔悴西上謁承明秋色變江樹相思紛以盈猨啼巴邱戍月上武陵城共恨川路永無由會友生雲泉不可忘何日遂躬耕

贈嵩山焦鍊師詩序 詩卌 李白

嵩邱有神人焦鍊師者不知何許婦人也又云生於齊梁時其年貌可稱五六十常胎息絶穀居無室廬遊行若飛倏忽萬里世或傳其入東海登蓬萊竟亦不能測其往也余訪道少室盡登三十

六峰聞風有寄灑翰遥贈云

二室倚碧天三花明綠煙中有蓬萊客宛疑麻姑仙道在諠莫染跡高想已遷時湌金娥蘂屨讀青苔篇八極恣遊憩九垓長周旋下瓢酌潁水舞鶴來伊川遂歸空山上獨拂秋霞眠蘿月挂朝鏡松風鳴夜弦潛光隱嵩邸鍊魄棲霞幄霓裳何歲[illegible]羽駕轉緜邈願同西王母下顧東方朔紫書儻可傳銘骨誓相學

文粹卷第九十六

六峰聞風有寄灑翰遙贈云

二室凌青天三花含紫煙中有蓬海客宛疑麻姑仙道在喧莫染
跡高想已綿時餐金鵝蕊屢讀青苔篇八極恣遊憩九垓長周旋
下瓢酌潁水舞鶴來伊川還歸空山上獨拂秋霞眠蘿月挂朝鏡
松風鳴夜弦潛光隱嵩岳煉魄棲雲幄霓裳何飄颻鳳吹轉綿邈
願同西王母下顧東方朔紫書儻可傳銘骨誓相學

文粹卷第九十六

文粹卷第九十七

吳興　姚鉉　纂

序七總一十八首

錫宴

丞相少傅拜職天子作三傑之詩以命宴序 蘇晉

季春下旬詔宴群王山池序 張說

集賢殿書院奉勅送學士張說上賜宴序 張九齡

讌集

泉州席使君讌邑中赴舉秀才於東湖亭序 歐陽詹

暮春太師左右丞相諸公於韋公逍遙谷讌集序 王維

蕭尚書拜命路尚書就林亭讌集序 潘炎

讌集韋庶子宅序 顧況

蓬池禊飲序 蕭穎士

洛陽鄭少府與兩省遺補讌韋司戶南亭序 王維

江陵陸侍御宅讌集觀張員外畫松石序 符載

魯山令李胄三月三日讌僚吏序 歐陽詹

始得西山讌遊序 柳宗元

清明日南皮泛舟序 蕭穎士

夏日諸從弟登汝州龍興閣序 李白

春夜讌諸從弟桃花園序

遊雲門序 梁肅

序飲 柳宗元

序白 舒元輿

丞相少傅拜職天子作三傑之詩以命宴序

蘇晉

惟聖寶賢以齊皇極有若左丞相燕國公右丞相廣平公太子少傅安陽侯皆生人碩德宰國元老道著廊廟績宣華戎由是懋其成功錫以元吉咨日于朔擇時于秋俾對命王庭受職公府見羣

屬揖庶寮禮官辨章掌舍陳次工備傢饔獻蒸六卿拜下以成儀三事自天而來賀秩秩賓序暉暉旅嘻玉縡垂文南風和雅頌之變金漿降醴雲天光飫酌之宜宰德貴和盡莊敬具瞻之範羣情尙洽預周旋宴語之懽方將一心天工勠力帝載寢黑山之析苞青海之戈雲雨賢才水火菽粟日詠魚藻歲陳由庚頤殷趙之年酉魯陽之景爰命在宴乃賡載歌

季春下旬詔宴諸王山池序　　張說

有生之性萬殊無方之感一節陽和而動植暢春滿而臯壤悅后皇所以發時令布新慶二南邁周召之風百辟形金石之詠者也碧流日暖南山雪殘首獻歲之浹辰尾暮春之提日帝京形勝借上林而入遊戚里池臺就修竹而開宴泉賜御府味給天廚仙倡侑樂中貴督酒太平佳事前史未書大矣哉一德日新九功惟敘運璿樞而均四氣握金鏡而靜萬方堯舜湯文不違顏於咫尺夔龍伊呂共接武於朝廷不可見而見焉不可聞而聞焉豈深思勝

殘去殺累百年之至仁推麻桉圖啟千齡之昌運河清難得人代幾何擊壤之懽良有以也地則青門上路朱邸平臺城煙屢起而汨山野風時來而過水春將悵別愛落花之灑途夏如欣會玩峰雲之映沼爾其列筵授几分曹設幕艇送江鷁船迎海鶴魚龍九劍曼延揮霍鸞鳳鳴簫鼓作巾錫逾於百甕慈惠出於三爵炮炙熏林塘醪醴厭邱壑抃急管於無算醉湛恩以取樂羣公賦詩俾僕題序長卿痟渴覽含豪之轉遲子雲壯夫見雕蟲之都廢敢憚鄙詞之訥澀恐貽盛集之蕪穢云爾

集賢殿書院奉勑送學士張說上賜宴序　　張九齡

集賢殿者本集仙殿也上惟睿作聖而猶垂意好學用相必本於經術圖王亦始於師臣及乎鴻生碩儒博聞多識之士自開元肇建以迄于今大用徵集煥乎廣內而聽政餘暇式讌在茲忠臣嘉賓得盡心之所聰明文思有光被之德故下以道親上亦懽甚卽

於御座爰發德音以爲侯彼神人事雖前載傳於方士言固不經遂改爲集賢去華務實且有後命增其學秩是以集賢之庭更爲論思之室矣中書令燕國公外弼庶績以奉沃心之謀內講六經以成潤色之業故得出入華殿師長翰林惟帝用臧固天所賴拜命之日荷寵有加降聖酒之醽頒御廚之膳食以樂侑人思德飽時則有侍中安陽公等承恩預焉學士右散騎常侍東海公等攝職在焉或稷卨大賢或淵雲諸彥文王多士周室以寧武帝得人漢家爲盛而高視前古獨不在於今乎咸可賦詩以光鴻烈

泉州席使君讌邑中赴舉秀才於東湖亭序

歐陽詹

貢士有宴我牧席公新禮也貞元癸酉歲邑有秀士八人公將薦之于闕下古者相覿相祖有亭有宴亭以昭恭儉宴以示慈惠二典爲用鮮或克兼諸侯升俊造於天子遣之日惟行鄉飲酒之禮則亭禮也胾肉乏酒莫飲莫食公念肉不使食則仁不下浹酒不

使飲則懽不上交方欲激邦俗於流醨致王人于德行而賢者仁未伊浹才者懽未我交其若蚩蚩何秋七月與八人者鄉飲之禮既修乃加之以宴餚移已膳醴出家醞求絲桐匏竹以將之選華軒勝景以光之後一日遂有東湖亭之會公削桑梓之禮執賓主之儀揖讓升堂雍容就筵樂徧作而情性不流爵無筭而儀形有肅鏘鏘焉濟濟焉於是老幼來窺盡室盈岐非其親懿則其閭里皆內訟而誓遷善焉於戲行其教不必耳提而口授移其風不必門扇而戶吹公斯宴則風移教行其間矣且藹心竭誠奉主化民之宰也煙景未暮酒德俱飽有逡巡避位而言曰夫詩者有以美盛德之形容君侯因片善附小能迴一邑之心成一邑之行昭吾人恭儉於嘉亭示吾人慈惠於清宴迴人心成人行周孔之才也昭恭儉示慈惠管晏之賢也不有歌詠其如六義何是日人有甘棠頻宮之什客有天水姜閱河東裴參和頴川陳詡翊一作邑人濟陽蔡沼佐贊盛事亦獻雅章小子公之甿幸鼓微聲先八人者鳴

捧豆何徹時在公之側覩衆君子之作遂作卜商之後書其旨爲序

暮春太師左右丞相諸公於韋公逍遥谷讌集序　王維

山有姑射人蓋方外海有蓬瀛地非宇下逍遥谷天都近者王官有之不廢大倫存乎小隱跡崆峒而身拖朱紱朝承明而暮宿青靄故可尙也先天之君俾人在宥懽心格于上帝喜氣降爲陽春時則有若太子太師徐國公左丞相稷山公右丞相始興公少師宜陽公少保崔公特進鄧公吏部尙書武都公禮部尙書杜公賓客王公黼衣方領垂璫珥筆詔有不名命無下拜熙天工者坐而論道掌邦典者官司其方相與察天地之和人神之泰聽於朝則雅頌矣問於野則賡歌矣乃曰猗哉至理之代也吾徒可以酒合讌樂考擊鍾鼓退於彤庭撰辰擇地右班劒驂六騶畫輪載轂羽幢先路以詣夫逍遥谷焉神皐藉其綠草驪山啟於朱戸渭之美

竹魯之嘉樹雲出於棟水環其室灞陵下連乎菜地新豐半入於家林館層巓檻側逕師古節儉惟新丹堊巖谷先曙羲和不能信其時芳卉後春句芒不能一其令桃逕窈窕蘅皐超忽驂御延佇於叢薄珮玉昇降於蒼翠於是外僕告次獸人獻鮮罇以大罍烹用五鼎木器擁腫卽天姿以爲飾沼毛蘋蘩在山羞而可薦伶人在位曼姬始縠齊瑟慷慨於座右趙舞徘徊於白雲袞旒松風珠翠煙露日在濛氾羣山夕嵐猶且濯纓清歌據梧高詠與松喬爲伍是羲皇上人且三代之後而其君帝舜九服之内而其俗華胥上客則冠冕巢由主人則兄弟元凱合是四美同乎一時廢而不書罪在司禮竊思楚傅常詣茅堂之居仰謝右軍忽序蘭亭之事葢不獲命豈曰能賢

蕭尙書拜命路尙書就林亭讌集序　潘炎

文昌貴臣新受厥服再拜稽首對揚休命逶迤而退則展慶賀之禮下舍之閒則懷宴語之好所以昵僚友宣寵光敵者易親懽焉

而至是以蕭公膺納言之職路公徵賀遷之會洎冢宰司寇作者三人國老如塤箎之和陽春屬鳧鳥之序欣榮相合辰當美景形制所選地從主人窮土木之幽荒尋栢亭之奇構賓主有禮旨酒以柔之清言以發之庖盈而不侈筵肆而不雜狎而不黷酣而不流有太平君子之光見可久賢人之德風調日暖煙靄無陰松茂草滋泉石通氣鶯出幽而初囀花含愁而將歸外物獻美中懷有融高興格于丹霄餘思垂乎清晝四座相顧請予所尊悅題賦詩無忘盛集

讌集韋庶子宅序　顧況

昔雒下鄴中蘭亭峴首文雅之盛風流之事益一方耳今席有芳樽庭有嘉木飲酒賦詩皆大國聖朝羣龍振鷺握蘭佩玉者也在古其有陋乎在今其有榮乎終讌一夕寄懷千載是時也暮春駘蕩孟夏恢台之交耳

蓬池禊飲序　蕭穎士

禊逸禮也鄭風有之葢取諸句萌發達陽景敷煦握芳蘭臨清川乘和蠲絜用徼介祉厥義存矣晉氏中朝始參燕胥之樂江右宋齊又間以文詠風流遂遠鬱爲盛集焉若夫華林曲水萬乘之降也蘭亭激湍專城之踐也而方伯之懽未始前聞以俟乎今辰粤天寶乙未暮春三月河南連帥領陳留守李公以政成務簡方國多暇率府郡佐吏二三賓客帳飲於蓬池備祓除之禮也梁有蓬池尚矣前迄澱潁右匯郛邑渺瀰淪漣盪日澄天舟楫是臨泛波景從其左則遙原縈屬崇岡傑竦嘉卉異芳雜樹連青卽爲臺亭登眺斯在爾乃郡曹領鏹以給費縣吏領徒而脩頓先夕以定議詰朝而集事是日方牧乃擁車徒曳旌旃卯出乎北牖辰濟乎南川匪疾匪閒翼翼闐闐以税駕于東焉然後降春流颺綵舟羽觴芳羞綴舞清謳援青蘋駭紫鱗迴環中汀緬望南津餞于巳酣于未歌樂只賦既醉坐闋而靡怠日入而未闋陶陶乎有以表勝境佳辰之具美名公好事之厚意下客不敏聞於前載曰夫德洽禮

成則詠歌繫之梁故魏也請皆賦詩志焉

洛陽鄭少府與兩省遺補讌韋司戶南亭序

王維

惟帝克辟惟股肱克左右庶績允釐有司多暇舉無違德孰獻其可雖列侍丹陛而罕伏青蒲攄懷致館灞陵南望曲江左轉登一級而鄠杜如近盡三休而天地始大凝氣向晦蒼蒼寒木式與汝歌多酌我酒罍客既序親當獻炭膳夫交馳屢奏鮮食夫含德之厚與時偕化拂衣而放則野人於小隱之中束帶而朝則君子於大夫之後何軌轍一境是非外物哉且騎有羈勒徒有次舍可以永日可以繼夜客非詩人之徒歟奚其默也

江陵陸侍御宅讌集觀張員外畫松石序

符載

六虛有精純美粹之氣其注人也爲太和爲聰明爲英才爲絕藝自肇有生人至于吾儕不得則已得之必騰湊夐絕獨立今古用

雖小大其神一貫向書祠部郎張藻字文通丹青之下抱不世絕儔之妙則天地之秀鍾聚于張之一端者耶初公盛名赫然居長安中好事者卿相大臣既迫精誠乃持權衡尺度之迹輸在貴室他人不得誣妄而覩者也居無何謫官爲武陵郡司馬官閒無事從容大府士君子由是往往獲其寶焉荆州從事監察御史陸澧字深源洎令弟曰灞曰潤曰淮皆以文行穎耀當世故含藻蘊奇之士多遊其門焉秋七月深源陳讌宇下華軒沈沈尊俎靜嘉庭篁霽景疏爽可愛公天縱之思歘有所詣暴請霜素願撝奇蹤主人奮裾鳴呼相和是時座客聲聞士凡二十四人在其左右皆岑立注視而觀之員外居中箕坐鼓氣神機始發其駭人也若流電激空驚飇戾天摧挫斡掣撝霍瞥列毫飛墨噴捽掌如裂離合惝恍忽生怪狀及其終也則松鱗皴石巉巖水湛湛雲窈眇投筆而起爲之四顧若雷雨之澄霽見萬物之情性觀乎張公之藝非畫也眞道也當其有事已知夫遺去機巧意冥玄化而物在靈府不

在耳目故得於心應於手孤姿絕狀觸豪而出氣交沖漠與神爲徒若忖短長於隘度算妍蚩於陋目凝觚舐墨依違良久乃繪物之贅疣也寍置於齒牙間哉於戲由基之弧矢造父之車馬內史之筆札員外之松石使其術可授雖執鞭之賤吾亦師之如不可求從吾所學則知夫道精藝極當得之於玄悟不得之於糟粕衆君子以爲是事也是會也雖蘭亭金谷不能尙此或闕歌頌取羞前人命鄙夫首敘諸公得揮其宏思耳

魯山令李胄三月三日讌僚吏序　歐陽詹

三月三日有酒食出于野曰禊飲古俗也有唐今上御宇之九年年定三節一以二月一日曰中和終取九月九日曰重陽次取此日之禊飲賜羣臣大宴登高臨川與時所宜洎四方有土之君亦得自讌其僚屬貞元十二年季春月既魄一日則其日也臨汝魯山令趙郡李胄恭國令宴于縣南滍濱先宴曰夫宴者古所以示慈惠而期合懽者也國家錫以斯宴者情亦古情焉況食在充腸

不在充目酒在成禮不在溺神歌發其所自和舞發其所自樂窮八珍竭千鍾彌發揚課絲竹則有勞有逸豈合懽之意歟於是首設一席肉一肩酒一壺命自天子命爲佐者次一席酒肉亦如之命自己命以爲吏者次一席酒肉亦如之命鄉閭許以耆年有德者肉既飽酒既酣因化育之蔭洽有歌謠者進有蹈舞者作皆誠激乎中章乎形容婆娑慷慨與習而爲者不類然後漁者請以其舟農者請以其器圃者請以其畜弋者請以其鮮啐濁嘗醨浮泛漪瀾風恬日和川晴野媚以熙以怡萬心一之至義之門大順之家父兄子弟一族一堂之中不能過也非仁德滀化其孰能至於是耶旅遊之子實窺盛事茲宴也雖溥於天下百里不同風雨恐他邑之景物此辰不得似公之邑也一方不同教化恐他邑之懽樂此辰不得似公之邑也故敘之

始得西山讌遊序　柳宗元

自余爲僇人居是州恆惴慄其隙也則施施而行漫漫而遊日與

其徒上高山入深林窮迴溪幽泉怪石無遠不到到則披草而坐傾壺而醉醉則更相枕以臥臥而夢意有所極夢亦同趣覺而起起而歸以爲凡是州之山有異態者皆我有也而未始知西山之怪特今年九月二十八日因坐法華西亭望西山始指異之遂命僕人過湘江緣染溪斫榛莽焚茅茷窮山之高而止攀援而登箕踞而遨則凡數州之土壤皆在衽席之下其高下之勢岈然洼然若垤若穴尺寸千里攢蹙累積莫得遯隱縈青繚白外與天際四望如一然後知是山之特出不與培塿爲類悠悠乎與灝氣俱而莫得其涯洋洋乎與造物者遊而不知其所窮引觴滿酌頹然就醉不知日之入蒼然暮色自遠而至至無所見而猶不欲歸心凝神釋與萬化冥合然後知吾嚮之未始遊遊於是乎始故爲之序以志是歲元和四年也

清明日南皮泛舟序　蕭穎士

昔建安中魏文爲王太子與朋友諸彥有南皮之遊讌鳴鼓浮甘瓜清泉灑淪千古一色此城隅託勝之舊也由小而方大則貴賤之權可齊以今而喻古則風流之事不易矧乃日清明時升平甿庶阜海濱之利謳吟動齊右之曲亦明代一方之樂也邑宰東海徐君泊英僚二三皆人傑秀出吏能高視郊驛繼當時之懽濠梁重莊叟之興相與嬌翠蒞騰清波紅妝屢舞綠醑徐進管絲迎風以響亮士女環岸而攢雜可以娛聖澤表人和也層城景移碧潭陰起蕩豔妍之氣色縱魚鳥之游泳其思夫關塞崇崒昆池清泠關河千里帝京不見斯興情之極致也爰命墨客紀他鄉之勝事云爾

夏日諸從弟登汝州龍興閣序　李白

夫槿榮芳園蟬嘯珍木蓋紀乎南火之月也可以處臺榭居高明吾之友于順此意也遂卜精勝得乎龍興留寶馬於門外步金梯於閣上漸出軒戶遐瞻雲天晴山翠遠而四合暮江碧流而一色屈指鄉路還疑夢中開襟危欄宛若空外嗚呼屈宋長逝無堪與

[illegible]

是歲元和四年也

清明日南皮泛舟序　蕭穎士

晉建安中魏文爲王太子與鄴文講宴有南皮之遊[illegible]

[illegible]

夏日諸從弟登汝州龍興閣序　李白

[illegible]

言起予者誰得我二季當揮爾鳳藻挹余霞觴與白雲老兄俱莫負古人也

春夜讌諸從弟桃花園序

夫天地者萬物之逆旅光陰者百代之過客而浮生若夢爲懽幾何古人秉燭夜遊良有以也況陽春召我以煙景大塊假我以文章會桃花之芳園序天倫之樂事羣季俊秀皆爲惠連吾人詠歌獨慙康樂幽賞未已高談轉清開瓊筵以坐花飛羽觴而醉月不有佳作何伸雅懷如詩不成罰依金谷酒數

遊雲門序 梁肅

上德以汗漫爲友無江海而閒其次則仁智相從山水爲樂故合志同方賢者有柴桑之隱遊道同趣吾徒有雲門之會其造適一也先會一日沙門釋去諠命我友相與採玉笥上會稽然後泝若耶過鳳林而南意欲脫人世之羈鞅窮林泉之遐奧於是捨舟清瀾反策閒原遞杳靄而歷嶇嶔入深翠以泛迴環遂至雲門觀其

羣山疊翠秦望拔起五峰巉巉列壑沈沈上摩碧落旁涌金界其下則百泉會流蓄爲澄潭涵虛鏡徹鳴瀨玉漱泠泠之聲與地籟唱和不待笙磬而五音迭作眺聽不足則凝思宴息悅然疑諸天樓觀列在咫步庭衢之中別有日月旣而動步眞境靜聆法音合漆園一指之喻詣淨名無住之本萬慮如洗百骸坐空視松喬爲弱喪輕世界於棗葉蓋道由境深理自外奬故也昔之遠公紀廬山謝客題石門道流勝賞今古一貫曷可不賦貽雲山羞乃各爲詩以誌斯會同乎道者有隴西李公受高陽齊霞舉約會未至亦請同賦此篇用廣夫游衍之致云

序飲 柳宗元

買小邱一日鋤理二日洗滌遂置酒溪上斸之爲記所謂牛馬之飲者離坐其背實觴而流之接取以飲乃置監史而令曰當飲者舉籌之十寸者三逆而投之能不洄于洑不止于坻不沈于底者過不飲而洄而止而沈者飲如籌之數旣或投之則旋眩滑汨若

舞若躍速者遲者去者往者衆皆據石注視懽抃以助其勢突然而逝乃得無事於是或一飲或再飲客有婁生圖南者其投之也一洞一止一沈獨三飲衆乃大笑懽甚余病痞不能飲酒至是醉焉遂損益其令以窮日夜而不知歸吾聞昔之飲酒者有揖讓酬酢百拜以爲禮者有叫號屢舞如沸如羹以爲極者有裸裎袒裼以爲達者有資金石絲竹之樂以爲和者有促數糾逖以爲密者今則舉異是焉故捨百拜而禮無叫號而極不袒裼而達非金石而和去糾逖而密簡而同肆而恭衎衎而從容於以合山水之樂成君子之心作序飲以貽後人

序白　　舒元輿

今年子月月望長安重雪終日玉花攪空舞下散地予與友生喜之因自所居南行百許步登崇岡上青龍寺門門高出絕寰埃宜寫目放抱今之日盡得雪境惟長安多高我不與並日既夕爲寺僧道深所留遂引入堂中初夜有皓影入室室中人咸謂雪光射

來復開門偶立見沍雲駮盡太虛眞氣如帳碧玉有月一輪其大如盤色如銀凝照東方輾碧玉上征不見轍迹至乙夜帖懸天心予喜方雪而望舒復至乃與友生出大門恣視直前終南開千疊屛風張其一方東原接去與藍巖驪巒羣瓊含光北朝天宮宮中有崇闕洪觀如鰲珪疊瑯出空橫虛此時定身周目謂六合八極作我虛室峩峩帝城白玉之京覺我五藏出濯清光中俗埃落地塗然寒膠瑩然鮮著徹入骨肉衆骸躍舉若生羽翎與神仙人遊雲天汗漫之上沖然而不知其足猶踼寺地身猶求世名二三子相視亦不知嚮之從何而來今之從何而遁不譁言不讓聲復根還始認得眞性非天借靜象安能輔吾浩然之氣若是耶且冬之時凝沍有之矣若求其上月下雪中零清霜如今夕或寡某以其寡不易會而三者俱白故序之耳

文粹卷第九十七

文粹卷第九十八　吴興　姚鉉　纂

序八　總二十五首

餞别

送玄上人歸天竺寺序　權德輿

餞張尚書赴朔方序　賈曾

王者大司馬制軍詰禁封國正朔惠綏蠻貊刑齊猾夏其儀尚矣天子道穆三象功清六合戩海來威窮荒揆敎將以靜流服度藩織削熸淩暴昭蘇寡弱乃命元宰兵部尙書燕公專節朔方授律孽帥涉河之外距關之西公皆統之重分閫也公留以開物精以造微文爲一變之英武有萬人之敵歷登庶尹王猷載寧三宅台衡帝采惟亮雖坐堂足以制勝而勤國忘其定居閹茂次年仲夏貞閏拜手東洛馳軺北闕備官而行成旅以從是日也景風司至星火殷宵伯趙鳴而戒陰爽鳩習而揚武賦可以昇高望遠詩可以出宿餞行有詔具寮爰開祖宴且申後命寵以蕃錫天章賦別御札題牋副衣勉挾纊之誠兼壺喻投醪之旨筐篚以將其貺筆硯以表其文前載未書今冊斯覩侍中安陽公以仁體國中書令河東公以德熙朝燮贊功成訏謨景暇慕采薇之興悵伐木之朋

詢彼旬師卜茲郊候鼎門右轉岐路旁分當關塞之斷山接華林之高樹幕人宿設重帟雲平太官饔舉百羞霞錯四夏六肴之變朱干皇羽之容雷殷川原電熛林薄朝傾多士巷無居人接蓋陰衢揚袂風野羽觴遞進列座酣而不譁清鐃間發將士激而逾厲視日知其吉氣吹律驗其商聲則已景列穹都風騰沙漠西域輕郅支之使東胡息冒頓之虞顧夫南仲于征吉甫薄伐不其遠也若木還照前茅啟行聽闐闐之去鼓目悠悠之轉旆歌事者每懷靡及念離者跂予望之成志在心發言同唱自天子有念式敍清風請編出車之什以繼蒸人之雅

送桂州刺史邢中丞赴任序　蕭昕

桂林巨鎮臨川荒服居五嶺之表控兩越之郊俗比華風化同內地然而洞居砦止人好阻兵有殊貨重裝吏無廉政選其任者實難其才故郡久曠官朝思稱職以腹心之寄轂爪牙之雄俾其澄清行獨坐之事俾其式遏總防禦之權惟帝知人佇報尤政五月

維夏畏途萬里溽暑方起火雲始生履蒼梧瘴癘之郊涉沅湘風濤之壯衆悅是舉而傷此行公陳力滅私飲冰徇節以忠則九折之塗可叱以信則三江之水可航聚糧戒徒肅裝候傳無酒酤我緩仳離之憂徵文寵別慰行邁之思僕以渭陽之故而首序云

送裴二十一兄閣老中丞赴黔中序　權德輿

裴兄居諫大夫五年休聞藉甚其於匪躬據古切劘獻替掖垣衆君子徒見其拜章伏閤而莫知其所言者然則發舒純誠弘大聰明以貢於穆清者可勝道哉每漢廷大僚與六官貳職之缺羣情屬目俟其授受久矣壬子詔書有黔巫長帥之拜秩於清憲袞以命服周行諸公以爲一方之幸且惜其去而未喻也及夫別殿前席沃心交感重藩符之所付慮安集之不稱凡所以輟近臣惠遠人之旨纖悉備厚上許周月之代兄求三歲之理又以見首公急病而忘其僻遠淹卹然後諸公知惜別爲細而感恩爲大在此行矣自牂牁通夜郎置吏以示綏懷以安剽輕失其理則蕭然愁擾得其和則驩然感悅方略招徠繫於官師以兄之慈惠直信粹清廉白爲仁由己不改其度使大化滀流在明誠洞開推人情以賦政便習俗而不擾彼四封之內如熱得濯如水走下史臣操簡以傳循吏使者急宣以將徵命雖欲復三歲之言其可得乎未閒則褰赤帷飲醽酒晏晏言笑中無町畦雖鬱蒸霧雨之候無自而入矣大丈夫被薦紳彯華纓弘宣職業無有遠邇則嚮之玉堂清禁論思侍從與今之龍節前導金龜映組皆所以事君也豈有中外之異耶祖軷露醉宣言相勉在加餐寓書而已至若山川風物與離騷瞻望之歎皆備於詩人所賦故茲不書

餞副大使李藏用移軍廣陵序　李白

夫功未足以蓋世威不可以震主必挾此者持之安歸所以彭越醢於前韓信誅於後況權位不及於此者虛生危疑而潛包禍心小拒王命是以謀臣將啖以節鉞誘而烹之亦由借鴻濤於奔鯨鱠生人於哮虎呼吸江海橫流百川左縈右拂十有餘郡國討未

及誰當其鋒我副使李公勇冠三軍衆無一旅橫倚天之劍揮駐日之戈吟嘯四顧熊羆雨集蒙輪扛鼎之士杖干將而星羅上可以決天雲下可以絕地維翕振虎旅赫張王師退如山立進若電逝轉戰百勝僵屍盈川水膏於滄溟陸血於原野一埽瓦解洗清全吳可謂萬里長城橫斷楚塞不然五嶺之北盡餌於修蛇勢盤地蹙不可圖也而功大用小天高路遠社稷雖定於劉章封侯未施於李廣使慷慨之士長吁青雲且移軍廣陵恭揖後命組練照雪樓船乘風簫鼓沸而三山動旌旗揚而九天轉良牧出祖列將登筵歌酣易水之風氣振武安之瓦海日夜色雲帆中流席闌賦詩以壯三軍之事白也筆已老矣序何能爲

送建安郡守之任序　　盛均

大禹分九州之產生物各有其處獨人之善惡無區別之地是聖人知民心牽於所化也夫理有風而化有本國者風帝王之理邦者本牧守之化二漢以還風化相蕩貪波敎漲人不棲身故有得一郡若豪虎之暴豚羊焉猛既有餘化宜不善也有唐洗叔世之弊惟牧守不新其規實乃知風化之本未可移去然後祿食者佐國不務其理爲邦不敵其化愚不知夫祿食之道也惟閩嶠拔一臂西指則建安在焉其郡襟山而束水其人猱黠而易隨等閒之支屬特稀聞善化者得非地深法蠹會斂無時猾吏坐恣奸欺黎庶日爲蜂蠆哉皇帝遠懷疲俗樂有嘉政使君前刺三郡雅稱善化今茲東授必能伸病俗以抒重寄矣將期後賀特以序行

送陳郎將歸衡嶽序　　李白

仲尼旅人文王明夷苟非其時賢聖低眉況僕之不肖者而遷逐枯槁固其宜耶朝心不開暮髮盡白登高送遠使人增愁陳郎將義風凜然英思逸發來下專城之榻去邀才子之詩動淸興於中流汎素波而徑去諸公仰望不及連章祖之序慚起予輒冠名賢之首作者嗤我乃爲撫掌之資乎

送幽州李端公序　　韓愈

元年今相國李公爲吏部員外郎愈嘗與偕朝道語幽州司徒公之賢曰某前年被詔告禮幽州入其地迓勞之使累至每進益恭及郊司徒公紅袜首鞾袴握刀（握刀佩刀之名非手持刀而見也）左右雜佩弓韔服矢插房俯立迎道左某禮辭曰公天子之宰禮不可如是及府又以其服即事某又曰公三公不可以將服承命及館又如是卒不得辭上堂即客階即坐必東向愈曰國家失太平於今六十年矣十日十二子相配數窮六十其將復平平必自幽州始亂之所出也今天子大聖司徒公勤於禮庶幾帥先河南北之將來覲奉職如開元時乎李公曰然今李公旣朝夕左右必數數爲上言元年之言殆合矣端公歲時來壽其親東都東都之士大夫莫不拜于門其爲人佐甚忠意欲司徒公功名流千萬歲請以愈言爲使歸之獻

送崔羣序　柳宗元

貞松產於巖嶺高直聳秀條暢碩茂粹然立於千仞之表和氣之發也稟和氣之至者必合以正性於是有貞心勁質用固其本禦攘冰霜以貫歲寒故君子儀之淸河崔敦詩有柔儒溫文之道以和其氣近仁復禮物義歸厚其有稟者歟有雅厚質方之誠以正其性嶷論忠告交道甚直其有合者歟是故日章之聲振於京師常與隴西李杓直南陽韓安平洎余爲交杓直敦柔深明沖曠坦夷慕崔君之和安平厲莊端毅高朗振邁悅崔君之正余以剛柔不常造次爽宜求正於韓襲和於李就崔君而考其中焉忘言相親默與道合今將寧覲東周振策于邁且餞於野或命爲之序余於崔君有通家之舊外黨之親然吾不以是合之崔君以文學登於儀曹駁于王庭甲俊造之選首黌校之任然吾不以是視之於其序也故載之其末云

送權十一序　李白

斯高柄秦嬴世不二三傑伏草與漢竝出莽夷朱暉耿鄧乃起自古英達未必盡用於當年去就之理在大運爾我君六葉繼聖熙

于玄風三清垂拱穆然紫極天人其一哉所以青雲豪士散在商釣四座明哲皆清朝旅人吾希風廣成蕩瀁浮世素受寶訣爲三十六帝之外臣卽四明逸老賀知章呼余爲謫仙人蓋實錄耳而嘗採姹女於江華收河車於清溪與天水權昭夷服勤鑪火之業久矣之子也沖恬淵靜才翰駿發白每一篇一札皆昭夷之所操吁捨我而南若折羽翼時歲律寒色天風枯聲雲帆涉漢冏若絕電舉目四顧霜天崢嶸銜盃敘離而羣子賦詩以出餞酒仙翁李白辭

送區册序　韓愈

陽山天下之窮處也陸有丘陵之險虎豹之虞江流悍急橫波之石廉利侔劍戟舟船上下失勢破碎淪溺者往往有之縣郭無居民官無丞尉夾江荒茅篁竹之閒小吏十餘家皆鳥言夷面始至言說不相通畫地爲字然後可以告其出租賦奉期約是以賓客遊從之士無所爲而至愈待罪於斯且半歲有區生者誓言相好

自南海拏舟而來升自賓階儀觀甚偉坐與之語文義卓然莊周云逃空虛者聞人足音跫然而喜矣況如斯人者豈易得哉入吾室聞詩書仁義之說欣然喜若有志於其閒也與之翳嘉林坐石磯投竿而漁陶然以樂若能遺外聲利而不厭貧賤也歲之初吉歸拜其親酒壺既傾序以識別

送張承祖之東都序　李白

吁咄哉僕書室坐愁亦已久矣每思欲遐登蓬萊極目四海手弄白日頂摩青穹揮斥幽憤不可得也而金骨未變玉顏以緇何嘗不捫松傷心撫鶴歎息誤學書劍薄遊人閒紫禁九重碧山萬里有才無命甘於後時劉表不用於禰衡暫來江夏賀循喜逢於張翰且樂船中達人張侯大雅君子統泛舟之役在清川之湄談玄賦詩連與數月醉盡花柳賞窮江山王命有程告以于邁煙景晚色慘爲愁容繫飛帆於半天泛淥水於遙海欲去不去更開芳樽樂雖寰中趣逸天外平生酣暢未若此時至於清談浩歌雄筆麗

藻笑飲酥酒醉揮素琴余實不愧於古人也揚袂遠別何時歸來想洛陽之秋風鱠伊魚以相待詩可贈遠無乃闕乎

送王塤秀才序　韓愈

吾嘗以爲孔子之道大而能博門弟子不能徧觀而盡識也故學焉而皆得其性之所近其後離散分處諸侯之國又各以其所能授弟子源遠而末益分葢子夏之學其後有田子方子方之後流而爲莊周故周之書喜稱子方之爲人荀卿之書語聖人必曰孔子子弓子弓之事業不傳惟太史公書弟子傳有姓名字曰馯臂子弓子弓受易於商瞿葢孟軻師子思子思之學葢出曾子自孔子歿羣弟子莫不有書獨孟軻氏之傳得其宗故吾少而樂觀焉太原王塤示予所爲文好舉孟子之所道者與之言信悅孟子而屢贊其文辭夫沿河而下苟不止雖有疾遲必至於海如不得其道也雖疾不止終莫幸而至焉故學者必慎其所道道於楊墨老莊佛之學而欲之聖人之道猶航斷港絕潢以望至於海也故求觀聖人之道者必自孟子始今塤之所由旣幾於知道如又得其船與楫知沿而不止嗚呼其可量也哉

送王棨序　陳黯

黯去歲自褒中還輦下輔文出新試相示其閒有江南春賦篇末云今日併爲天下春無江南兮江北某郎賀其登選於時矣何者以輔文家於江南其詞意有是句非前眹耶今春果擢上第夏六月告歸省于閩命序送行某辭以未第言不爲時重輔文曰吾所知者惟道與義豈以已第未第爲重輕哉愚谿是不得讓鱗羣之衆也必聖其龍羽族之多也必瑞其鳳鳳非四翼龍非二首所以異於鱗羽者惟其稀出耳嚮使日百時千盈川溢陸則蛇虺鳩雀無非龍鳳矣其誰曰聖且瑞哉進士科由漢迄唐爲擢賢之首也寰瀛之大億兆之衆歲貢其籍者數纔于千有司升其名者復止于三十其不爲貴而且稀乎輔文早歲業儒而深於詞賦其體物諷諭與相如揚雄之流異代而同工也故角於文陣而聲光振起

今之中選是榮其歸想寍慶之晨爲鄉里改觀孰不謂人之龍鳳乎懿哉輔文是行也足以自重

送盧嶽處士符載歸蜀覲省序　崔羣

旄頭光明垂三十載不習俎豆化爲侯王者十有八九焉由是隱逸憔悴羔鴈不行荅山沈沈側陋不顯建中初有峨嵋客符君發六籍櫂三湘深入匡廬絕迹半紀學窺顏子之門闕文紹陳君之骨髓逸慕嚴光之垂釣志效管寍之不欺結廬熙熙人不知其然也頃予奉命江西三年往復彭蠡未嘗不詠湖月漱天倪造符君雲扃宿五老峰下動更晦朔不理還櫂偶丹霄至人白鶴羽客搴靈芝跪天壇相顧永息乎蓬瀛豈復又縈於塵網覲君超濟愴興舊遊雖笑語飲食如常終忽忽若居大夢君家在岷蜀展愛高堂將聖賢典籍充人子幣帛斯所以激衰俗扇清風方伯地君不以厚禮遲吾子予未之信秋九月楚人歌採蘭以送之

送族叔楊行元下第歸廣陵序　歐陽詹

族叔行元既射策與主司不合春二月將歸淮南所厲羣公設祖方獻未酬族叔悄然有不暢之色羣公亦愕爾而阻懽小子侍觴奉而前曰歸好事春美時酒樂物叔於三者加同人將之而有未悅豈禮闈失意之爲乎崑吾產金荊山產玉自民役巧鎔琢蓋多惟干將和璞有大聞非百鍊則其良可用歟非三獻而其寶可眞歟苟良苟眞不即成不即售適以精其研稔其實如叔也亦何稽於一邂逅哉若昔之人作必行動必中則是蘇秦無屨穿之歎甯戚無石爛之歌孫弘無十上之勤商鞅無再干之勞也知泰而不知否知易而不知難是夫人也非所以待乎叔也叔如之何叔欣然見卞氏再來之路平歸心納春景安酒意四座以協千鍾以娛既醉升車秋到爲期

送族弟旭帖經下第東歸序　蕭穎士

吾族旭也洵美有聲夫蒸蒸者行之能翼翼者體之敬工文足以摽絕唱深識足以剖羣疑兼而備焉實爲難者意其培積風之力

駭絕電之姿從東道以載馳去南濵而一息此其分也翳明代櫂人宜乎盡能使輪轅當曲直之適鑿枘靡圓方之歎則宏綱舉而浮議息矣以吾弟不羈之才逢聖君如渴之日而徵求章句見遺甲乙是猶籠鸑鷟絆騰黃望遼廓權奇其可得也吾聞諸君子非無位之患惟立身實難今爾有是才居是屈能卷舒其道喜慍不形又其沖融坦蕩莫可得而窺也不然晉未十獻歲未二毛道非捭闔交無薦寵而雄雖先進歎甚後時何哉論者以為人之望也仲春二月東京千里之子往矣薄言旋歸賦詩而寵別者皆上國之選莫不銜憤屑涕抗詞悲歌吾乃知道術親而然諸重也況乎西遷而五陵是宅南渡而二曹其昌居宋有摯疇之姻在周為魯衛之國曾是其祖不待馮商之言已為路人未處陶生之歎今也于邁如何勿思詩不云乎凡今之人莫如兄弟不廢急難之謂也

送從姪嵩遊廬山序　李白

余小時大人令誦子虛賦私心慕之及長南遊雲夢覽七澤之壯

觀酒隱安陸蹉跎十年初嘉興季父謫長沙西還時余拜見預飲林下嵩乃稚子嬉遊在傍今來有成鬱負秀氣吾衰久矣見爾慰心申悲道舊破涕為笑方告我遠涉西登香鑪長山橫蹙九江卻轉瀑布天落半與銀河爭流騰虹奔電潨射萬壑此宇宙之奇詭也其上有方湖石井不可得而窺焉羨君此行撫鶴長嘯恨丹液未就白龍來遲使秦人著鞭先往桃花之水孤負夙願慚未歸於名山終期後來攜手五嶽情以送遠詩寧闕乎

送薛處士序　杜牧

處士之名何哉潛山隱市皆處士也在山也且非頑如木石也在市也亦非愚如市人也蓋有大智不得大用故羞恥不出寧肯與市人木石為伍也國有大智之人不能大用是國病也故處士之名自負也謗國也非大君子其孰能當之薛君之處士蓋自負也果能窺測堯舜孔子之道使指制有方弛張不窮則上之命一日來子之廬子之身一日立上之朝使我輩居則來問學仕則來問

政干辯萬索滔滔而得若如此此則善苟未至是而遽名曰處士雖吾子自負其不爲矯歟某敢用此贈行

別中嶽二三眞人序　陳子昂

夫愛名山歌長往世有之矣若夫放身霄嶺晏景雲林卑俗不可得而聞時士不可得而見則吾欲高視終古一笑昔人嵩山有二仙自浮邱公王子晉上朝玉帝遺蹟金壇鳳笙悠悠千載無嚮吾每以是臨霞永慨撫膺增歎常謂煙駕不逢羽人長往去舊世走青雲登玉女之峰窺石人之廟見司馬子微馮太和霓裳眇然冥壑獨立眞朋羽會金漿玉液則有楊仙公玄默洞天賈上士幽棲牝谷玉笙吹鳳瑤裝駐鶴方且迷軒轅之駕期漫汗之游吾亦何人躬接茲賞實欲執青節從白蜺陪飲崑崙之庭觀化玄元之府寓心遂矣冥骨甘矣豈知瑣都命淺金籙道微攀倒景而迷途顧中峰而失路塵榮俗累復汨吾和仙人眞侶永幽靈契翳青芝而延佇遙會何期折丹桂而徘徊遠心空絕紫煙去黃庭極仰寥廓而無光視寰區而寡色悠悠何往白頭名利之交咄咄誰嗟玄運盛衰之感則如楊朱歧路墨子素絲尙平辭家而不歸鮑焦抱木而枯死可以慟可以悲古人之心吾今得之矣

餞十七翁二十四翁尋桃源序　李白

昔祖龍滅古道嚴威刑煎熬生人若墜大火三墳五典散爲寒灰築長城起阿房并諸侯殺豪俊自謂功高羲皇國可萬世思欲淩雲氣求仙人登封泰山風雨暴作雖五松受職草木有知而萬象乖度禮刑將弛則綺皓不得不遁於南山魯連不得不蹈於東海桃源之避世者可謂超升先覺夫指鹿之儔連頸而同死非吾黨之謂乎二翁耽老氏之言繼少卿之作文以述大雅道以通至精卷舒天地之心脫落神仙之境武陵遺蹟可得而窺爲問津利往水引漁者花藏仙谿春風不知從來落英何許流出石洞來入晨光盡開有良田名池竹果森列三十六洞別爲一天耶今扁舟而行笑謝人世阡陌未改古人依然白雲何時而來歸青山一去而

誰往諸公賦桃源以美之

送靈澈上人歸沃洲序　　權德輿

昔廬山遠公鍾山約公皆以文章廣心地用贊後學俾學者乘理以詣因言而悟得非玄津之一派乎吳興長老晝公掇六義之精英首冠方外入其室者有沃洲澈上人上人心冥空無而迹寄文字故語甚夷易如不出常境而諸生思慮終不可至其變也如風松迭韻冰玉相扣層峰千仞下有金碧㸌鄙夫之目初不敢眎三復則澹然天和晦於其中故覩其容覽其詞知其心不待境靜而靜況會稽山水自古勝絶東晉遺民多遁世於此夏五月上人自鑪峰言旋復于是邦予知夫拂方袍坐輕舟泝沿鏡中靜得佳句然後深入空寂萬慮洗然則嚮之境物又其稊稗也都人方𣅜行企尚之不暇惡敢以離羣爲歎哉

送林公遊衡嶽序　　李白

江南之仙山黃鶴之爽氣偶得英粹後生俊人林公世爲豪家此

土之秀落髮歸道專精律儀白月在天朗然獨出旣灑落於彩翰亦諷誦於金口閒雲無心與化偕往將欲振五樓之金策浮三湘之碧波乘杯泝流考室名嶽瞰憩冥壑凌臨諸天登祝融之峰巒望長沙之煙火遙謝舊國誓遺歸蹤百千開士稀有此者余所以歎其峻節揚其清波龍象先輩迴眸拭視比夫汨泥沙者相去如九牛之一毛昔智者安禪於台山遠公託志於廬嶽高標槩斯亦嚮慕哉紫霞搖心青楓夾岸目斷川上送君此行羣公臨流賦詩以贈

送浮屠文暢師序　　韓愈

人固有儒名而墨行者問其名則是校其行則非可以與之游乎如有墨名而儒行者問其名則非校其行則是可以與之游乎揚子雲稱在門牆則揮之在夷狄則進之吾取以爲法焉浮屠師文暢喜文章其周遊天下凡有行必請於搢紳先生以求詠歌其所志貞元十九年春將行東南柳君宗元爲之請觧其裝得所送敘

詩累百餘篇非至篤好其何能致多如是耶惜其無以聖人之道告者而徒舉浮屠之說贈焉夫文暢浮屠也如欲聞浮屠之說當自就其師而問之何故謁吾徒而來請也彼見吾君臣父子之懿文物禮樂之盛其心有慕焉拘其法而未能入故樂聞其說而請之如吾徒者宜當告之以二帝三王之道日月星辰之所以行天地之所以著鬼神之所以幽人物之所以蕃江河之所以流而語之不當又爲浮屠之說而瀆告之也民之初生固若禽獸夷狄然聖人者立然後知宫居而粒食親親而尊尊生者養而死者藏是故道莫大乎仁義教莫大乎禮樂刑政施之於天下萬物得其宜措之於其躬體安而氣平堯以是傳之舜舜以是傳之禹禹以是傳之湯湯以是傳之文武文武以是傳之周公孔子書之於冊中國之人世守之今浮屠者孰爲之而孰傳之耶夫鳥俛而啄仰而四顧夫獸深居而簡出懼物之爲己害也猶且不脫焉弱之肉強之食今吾與文暢安居而暇食優游以生死與禽獸異者寧可不知其所自耶夫不知者非其人之罪也知而不爲者惑也悅乎故不能即乎新者弱也知而不以告者不仁也告而不以實者不信也余既重柳請又嘉浮屠能喜文詞於是乎言

送簡師序　皇甫湜

鳳羽而麟毛鳥與獸也經傳以比聖人豈非以其心不以其形者耶師雖佛其名而儒其行雖夷狄其衣服而仁義其心雖未齒於士與麟鳳類矣不猶愈於冠朝（一作儒下同）冠服朝服惑溺於淫怪之說以斁彝倫者耶嗚呼師吾獨賢也刑部侍郎昌黎韓愈既貶于潮浮屠之徒懽快以抃師獨憤起訪予求敘行以資適潮不顧蚺山鰐水萬里之險毒若將朝得進拜而夕死可者嗚呼悲夫君絆不得侶師以馳

送玄上人歸天竺寺序　權德輿

度門之教根於空寂因修以取證階有以及無不踐精深之習而悟虛無之理者未之有也未得爲得則其病歟僕久味斯法思與

言者旣而得玄禪師師早誦大乘經各數萬言晚得觀門之學今則色空如一哀樂不入矣桑門之患有二焉未得之患爲外見所雜旣得之患爲內見所縛今玄公翛然於二見之閒不內不外冥夫至妙身戒心惠合於無倪且以何晏有山水之絕境天竺又經行之淨界振錫而往其心浩然蓋隨緣生興觸物成化而不爲外塵所引也幅巾男子權德輿稽首

文粹卷弟九十八

言者隨而得之離師而師早尚大乘經各數萬言而得觀門之學今則色空如一哀樂不入矣參門之患有二忘未得之患為外見所雜既得之患為內見所縛今支公隨緣於二見之間不內不外冥所大至妙得以般心惠合於無倪日何以見有山水之絕境大空文外經行之禪寂旋遊而往其心浩然遣緣斗興觸物成化而不為外壓所引也靡中另于榛從輿搭言

文粹卷第九十八

文粹卷弟九十九

吳興　姚鉉　纂

傳錄記事總一十五首

題傳後

假物

忠烈

隱逸

奇才

雜伎

妖惑

題叔孫通傳後　皮日休

古之所謂禮不相襲樂不相沿者何哉非乎彼聖人此聖人也不相襲者角其功利之深淺爾不相沿者明其文武之優劣爾故三

文粹卷第九十九

吳興 姚鉉 纂

傳錄記事 總一十五首

題傳後

題叔孫通傳後 皮日休

題東漢傳後 司空圖

假物

毛穎傳 韓愈

讀韓愈所作毛穎傳 柳宗元

下邳侯革華傳 韓愈

容成侯傳 司空圖

忠烈

李紳傳 沈亞之

楊烈婦傳 李翺

竇烈婦傳 司空圖

隱逸

江湖散人傳 陸龜蒙

負苓者傳 王績

奇才

李賀小傳 李商隱

雜伎

梓人傳 柳宗元

郭橐駝傳

妖惑

李赤傳

題叔孫通傳後 皮日休

古之所謂禮不相襲樂不相沿者何哉非乎彼聖人此聖人也不相襲者爲其功利之深淺而不相沿者明其文武之變法爾故三

王迭作五帝更制夏殷易置文武遞述其禮文昭昭然若兩曜爭朗百川注瀆者矣然由周公刊之仲尼正之以周公之才之美謂後世無其人乎乃有仲尼仲尼之後迄今望其道如顏閔文如游夏者鮮矣況聖人哉是後之制禮作樂宜取周書孔策爲標準也漢氏受命禮壞文毀時無聖人苟措其儀立其禮不沿襲於聖制者妄也夫國之大祭不過乎郊祀宗廟也漢之旣命其郊祀止於五時之祀者禮不曰兆五帝之郊者乎止於昭靈之園者禮不曰天子七廟者乎而叔孫生不爲之正郊祀立宗廟去秦時之非制議昭靈之非禮汲汲於朝會之儀俾漢天子爲高祖其身不得郊見饗不及七廟臆生其制吻刋厥式（文苑英華作噫生掇其制物刋厥式）非不標準於聖人乎將以漢新去水火方弭兵械難爲改作乎將不明壇墠之位禘祫之儀者乎若然者湯伐桀周伐紂其制可知也嗚呼不明於古制樂通於時變君子不由也其叔孫生之謂也

題東漢傳後　　司空圖

儒衣而武弁也人望而畏之是威其德也必有操戈待之者矣君子救時也雖切亦必相時度力以致其用不可則靜而鎮之以道訓服苟厲鋒氣果於擊搏道不能化力不能制是將濟時重困故元禮之徒終致鉤黨之禍至於張儉又不能引決區區之身雖殘壞天下何裨於吾道哉陳太邱之容衆郭有道之誘人其意未嘗沮物而彼亦不厚其毒利害可見矣且猛摯不革其暴麟不足以爲仁也惡鳥不息其鳴鳳不足以爲瑞也況彼二三子甘逞於權豪呶呶以至大亂惟據正而能屈己者庶可與權

毛穎傳　　韓愈

毛穎者中山人也其先明眎佐禹治東方土養萬物有功因封於卯地死爲十二神嘗曰吾子孫神明之後不可與物同當吐而生已而果然明眎八世孫䨲世傳當殷時居中山得神仙之術能匿光使物竊姮娥騎蟾蜍入月其後代遂隱不仕云居東郭者曰㕙狡而善走與韓盧爭能盧不及盧怒與宋鵲謀而殺之醢其肉秦

始皇時使蒙將軍恬南伐楚次中山將大獵以懼楚召左右庶長與軍尉以連山筮之得天與人文之兆筮者賀曰今日之獲不角不牙衣褐之徒缺口而長鬚八竅而趺居獨取其髦簡牘是資天下其同書秦其遂兼諸侯乎遂獵圍毛氏之族拔其豪載穎而歸獻俘于章臺宮聚其族而加束縛焉秦皇帝使恬賜之湯沐而封諸管城號曰管城子日見親寵任事穎爲人强記而便敏自結繩之代以及秦事無不纂錄陰陽卜筮占相醫方族氏山經地志字書圖畫九流百家天人之書及浮圖老子外國之說皆所詳悉又通於當代之務官府簿書市井貨錢注記惟上所使自秦皇帝及太子扶蘇胡亥丞相斯中車府令高下及國人無不愛重又善隨人意正直邪曲巧拙一隨其人雖後見廢棄終默不洩惟不喜武士然見請亦時往累拜中書令與上益狎上嘗呼爲中書君上親決事以衡石自程雖宮人不得立左右獨穎與執燭者常侍上休方罷穎與絳人陳玄弘農陶泓及會稽褚先生友善相推致其出處必偕上召穎三人者不待詔輒俱往上未嘗怪焉後因進見上將有任使拂拭之因免冠謝上見其髮禿又所摹畫不能稱上意上嘻笑曰中書君老而禿不任吾用吾嘗謂君中書君今不中書耶對曰臣所謂盡心者焉因不復召歸封邑終于管城其子孫甚多散處中國夷狄皆冒管氏惟居中山者能繼父祖業

太史公曰毛氏有兩族其一姬姓文王之子封於毛所謂魯衛毛聃者也戰國時有毛公毛遂獨中山之族不知其本所出子孫最蕃昌春秋之成見絕於孔子而非其罪及蒙將軍拔中山之豪始皇封諸管城世遂有名而姬姓之毛無聞穎始以俘見卒任使秦之滅諸侯穎與有功賞不酬勞以老見疏秦眞少恩哉

讀韓愈所作毛穎傳　柳宗元

自吾居夷不與中州人通書有來南者時言韓愈爲毛穎傳不能舉其辭而獨大笑以爲怪而吾久不克見楊子誨之來始持其書索而讀之若捕龍蛇搏虎豹急與之角而力不敢暇信韓子之怪

於文也世之摸擬竄竊取青媲白肥皮厚肉柔筋脆骨而以爲辭者之讀之也其大笑固宜且世人笑之也不以其俳乎且俳又非聖人之所棄者詩曰善戲謔兮不爲虐兮太史公書有滑稽列傳皆取乎有益於世者也故學者終日討論答問呻吟習復應對進退掬溜播灑則罷憊而廢亂故有息焉游焉之說不學操縵不能安弦有所拘者有所縱也大羹玄酒體節之薦味之至者而又設以奇異小蟲水草樝梨橘柚苦鹹酸辛雖蜇吻裂鼻縮舌澀齒而咸有篤好之者文王之菖蒲葅屈到之芰曾晳之羊棗然後盡天下之奇味以足於口獨文異乎韓子之爲也亦將弛焉而不爲虐歟息焉游焉而有所縱歟盡六藝之奇味以足於口歟而不若是則韓子之詞若壅大川焉其必決而放諸陸不可以不陳也且凡古今是非六藝百家大細穿穴用而不遺者毛穎之功也韓子窮古書好斯文嘉穎之能盡其意故奮而爲之傳以發其鬱積而學者得之勵其有益於世歟是其言也固與異世者語而貪常嗜瑣者猶呫呫然動其喙彼亦勞甚矣乎

下邳侯革華傳

韓愈

下邳侯革華者其先隴西人也三十六代祖守犍爲黃帝時以力見召拜大司農以其闢土有功又知稼穡之艱難遷輕車都尉子孫相繼至周武王時徙居桃林冠冕遂絕其後人思其濟世之才因復其位而加任使爲華父犨生五年襲先祖爵祿仕至上輕車都尉華母世居長樂有乳哺之恩越王句踐時嘗侍宴姑蘇臺詩所謂有覺德行者也犨因引重至太行山力不任事遂死於轅下上嗟悼命太宰申屠公執刀而解之其支派分離散在他處華其長子也上念其父劬勞而死於王事封華爲下邳侯詔將作大匠治之華爲性堅勁屈強難以直御匠以其膏潤之然後去其豪族而加裁割爲會太原人金十奴與新鄭人斛斯生相逢薦華於五木大夫是後稍稍得成其名上嘉之遂釋褐賜璽綬華嘗曰吾辛勤久今方成名得處上左右足矣及獻之果然華爲人善履道別

威儀進止趨蹌一隨人意上將駕出遊畋獵馳騁毬擊射御及禮神祭祀交賓接賢未嘗不召華偕往伏事上久之因病忽開口議論泄露密旨上繇是疏之詔將作大匠治之又命其友金十奴等令補過之尋獻於上上雖納之然亦不甚見重有泥塗賤處方召使之餘並不得預焉頃之上見其顏色顛頟衰憊失度上咨嗟曰下邳侯老而憊不任吾事今棄子于市不復召子矣華無息其繼者族人焉

贊曰華氏之先本出皮姓軒轅時蒼頡觀鳥蹟制文字以其始於皮而至於華故從華焉初華本自胡而來趙武靈王時見重是後子孫盛于中國漢書功臣表有煮棗侯革未者卽其後也

容成侯傳　司空圖

容成侯金炯者本蜀郡嚴道人附山而居同族中多見搜採其先因秦時調發詣尙方輸作世苦之乃誡子孫易其服色必以清厲自進後徙居上洛會郡中盧生范生皆傳修鍊之術委質相資因

砥磨以致用上聞而器之召見嘉其鑒局且謂豪髮無隱屢顧之歷試臺閣號爲明達挾奸邪以事上者見之膽慄輒自披露至於婦人女子媚惑之態亦不能掩也其察察如此是雖造物無私圓方不礙然疵陋者終惡忌積毀於上以爲背面不相副炯亦自病於狹中不能以塵垢混其蹟也竟被擯斥後亟有月蝕之變時官中漏下數刻上臨軒念其規益復召俾其道所以然者扣之響應不疲上異焉命以容成侯奉朝請而宗人派別於廣陵者炫飾求售陷爲輕薄于權戚中或嫵然自喜則狎玩不厭至或被以組繡益便其俯仰取容雖穿鼻服役亦無恥耳既稍進炯又鄙其爲人迺復以讓廢歸老于家

太史公曰炯之遠祖當軒轅時以化服於祝融氏得薦於上能强記天象地形草木蟲介萬殊之狀皆視諸掌握蓋其術亦規摹於洪範耳物怪遇之莫不惴息自廢後益親幸上晨興必先至則與冠冕者偕進號爲壽光先生不名也子孫稍下衰然流寓太原者

始侚玄亦以精鍊見重觀炯雖任用競競惟恐失墜不善晦匿果爲邪醜所嫉幾不能免噫大雅君子既明且哲以保其身難矣哉

李紳傳　沈亞之

李紳者本趙人徙家吳中元和元年節度使宗臣錡在吳紳以進士及第還過謁錡錡舍之與宴遊晝夜錡能其才留執書記明年錡以驕聞有詔召稱疾不欲行賓客莫敢言紳堅爲言不入又不得去會留後使王澹專職爲錡具行錡蓄怒始發於澹陰敎士食之初士卒當勞賜者皆會府中受賜與中貴人臨視次至中軍士得賜者俱不散齊呼曰澹逆可食既盡卽執中貴人脇曰爾寧遂衆欲寧飽衆腹曰請所欲曰爲我衆書報天子幸得復錡位貴人懼僞諾之召書記以疏聞紳聞之亡入錡內匿衆索不得及中貴人至促錡行錡益怒急召紳授紙筆令操書上牘紳坐錡前佯惴怖戰管搖紙下札皆不能字輒塗去纍數十行又如是幾盡紙錡怒罵曰是何敢如是汝欲下從而先人耶對曰紳不敢惡生直以

少養長儒家未嘗聞金革鳴今暴及此且不知精神所在誠得死在畏苦前幸耳錡復制以兵刃令易紙復然傍一人爲錡言曰聞有許侍御縱者尤能軍中書紳不足與等請召縱縱至錡銳意自舉授詞操書無不可錡意遂幽紳於潤之外獄兵散乃出縱竟逆死

贊曰李錡之賊江東也其抗節者有李雲李紳雲則山中劉騰爲書以大之而紳之蹟末及稱且紳職錡肘腋下舉動顧盼有一不誠則支體立盡衆手而紳亦不顧而曉然自效如此可謂臨大節而不可奪者耶

楊烈婦傳　李翺

建中四年李希烈陷汴州既又將盜陳州分其兵數千人抵項城縣盜將掠其玉帛俘纍其男女以會于陳州縣令李偘（一作侃下同）不知所爲其妻楊氏曰君縣令也寇至當守力不足死焉職也君如逃則誰守偘曰兵與財皆無將若何楊氏曰如不守縣爲賊所得

矣倉廩皆其積也府庫皆其財也百姓皆其戰士也國家何有奪賊之財而食其食重賞以令死士其必濟於是召胥吏百姓於庭楊氏言曰縣令誠主也雖然歲滿則罷去非若吏人百姓然吏人百姓邑人也墳墓在焉宜相與致死以守其節忍失其貞而爲賊之人耶衆皆泣許之乃徇曰以瓦石中賊者與之千錢以刀矢兵刃之物中賊者與之萬錢得數百人偪率之以乘城楊氏親爲之爨以食之無長少必周而均使偪與賊言曰項城父老義不爲賊矣皆悉力守死得吾城不足以威不如亟去徒失利無益也賊皆笑有蜚箭集于偪偪傷而歸楊氏責之曰君不在則人誰肯固矣與其死於城不猶愈於家乎偪遂忍之復登陴項城小邑無長戟勁弩高城深溝之固賊氣吞焉率其徒將超城而下有以弱弓射賊者中其帥墮馬死其帥希烈之壻也賊失勢遂相與散走項城之人無傷焉刺史上偪之功詔遷絳州太平縣令楊氏至茲猶存人之受氣於其天何不同也婦人女子之德奉父母舅姑盡恭順

和於娣姒於卑幼有慈愛而能不失其貞者則賢矣至於辨行陣明攻守勇烈之道此固公卿大臣之所難厥自兵興朝廷注意寵旌守禦之臣憑堅城深池之險儲蓄山積貨財自若冠冑服甲負弓矢而馳者不知幾人其勇不能戰其智不能守其忠不能死棄其城而走者有矣彼何人哉若楊氏者婦人也孔子曰仁者必有勇楊氏當之矣

贊曰凡人之情皆謂後來者不及於古之人賢者自古亦稀獨後代耶及其有之與古人不殊也若高愍女楊烈婦者雖古烈女其何加焉予懼其行事堙滅而不傳故皆序之將告于史官

竇烈婦傳　　司空圖

河南竇氏朝邑令畢某之妻也四年秋同民叛其帥李瑭瑭走蒲令挈其孥竄望仙里既夕盜作乃仇家也捽令壞其首志必死之令妻蔽捍泣且拜益急乃持其袂重傷猶不置令竊覷竟得逃匿而免里人列狀於府賚之酒帛醫亦馳乘而至幾死者數矣逮踰

月方克偕全愚寓居渭濱得備聞於里中粱生生言操史牘者苟當和平紀王庭琛瑞之美誠幸矣然傑異之操化導宗族里閭俾男必爲貞夫女必爲烈婦是有國有家皆賴之豈徒炫於視聽哉愚以爲知言乃著其事

贊曰蓄千金之貲雖云憂患尚有不安其室者況蹈危觸難何以相保哉且婦人女子扣盎足以駭之而白刃之下獨不顧死以免其夫是果能一於所從而不悔者也豈化漸之有所自也吾知爲臣爲妾者必繼有其人免貽史氏之愧矣

江湖散人傳　陸龜蒙

散人者散誕之人也心散意散形散神散旣無羈限爲時之怪民束於禮樂者外之曰此散人也散人不知恥乃從而稱之人或笑曰彼病子之散而目之子反以爲其號何也散人曰天地大者也在太虛中一物耳勞乎覆載勞乎運行差之晷度寒暑錯亂望斯須之散其可得耶水土之散稽有用乎水之散爲雨爲露爲霜雪水之局爲潴洳爲潢爲汚土之散封之可崇穴之可深生可以藝死可以入土之局塤不可以爲埏甓不可以爲盂得非散能通變化局不能耶退若不散守名之筌進若不散執時之權筌可守耶權可執耶遂爲散歌散傳以志其散

負苓者傳　王績

昔者文中子講道於白牛之溪弟子捧書北面環堂成列講罷程生薛生退省于松下語及周易薛收歎曰不及伏羲氏乎何詞之多也俄而有負苓者皤皤然委擔而息曰吾子何歎也薛生曰叟何爲者而徵吾歎負苓者曰夫麗朱者丹附墨者黑蓋漸而得之也今吾子所服者道而猶有歎是六府五藏不能無受也吾是以問薛生曰收聞之師易者道之藴也伏羲畫卦而文王繫之不逮省文矣以爲文王病也吾是以歎負苓者曰文王焉病伏羲氏病甚者也昔者伏羲氏之未畫卦也三才其不立乎四序其不行乎百物其不生乎萬象其不森乎何營營乎而費畫也自伏羲氏洩

道之密漏神之幾分張太和礫裂元氣使天下之智者詭道逆出曰我善言象而識物情陰陽相磨遠近相取作爲剛柔異同之說以駭人志於是知者不知而太樸散矣則伏羲氏始兆亂者安得羸歎而嗟文王乎負其芥而行追而問之居與姓名不答文中子聞之曰隱者也

李賀小傳　李商隱

京兆杜牧爲李長吉集序狀長吉之奇甚盡世傳之長吉姊嫁王氏者語長吉之事尤備長吉細瘦通眉長指爪能苦吟疾書最先爲昌黎韓愈所知所與遊者王參元楊敬之權璩崔植爲密每旦日出與諸公游未嘗得題然後爲詩如他人思量牽合以及程限爲意恒從小奚奴騎距驢背一古破錦囊遇有所得即書投囊中及暮歸太夫人使婢受囊出之見所書多輒曰是兒要當嘔出心始已耳上鐙與食長吉從婢取書研墨疊紙足成之投他囊中非大醉及弔喪日率如此過亦不復省王楊輩時復來探取寫去長吉往往獨騎往還京雒所至或時有著隨棄之故沈子明家所餘四卷而已長吉將死時忽晝見一緋衣人駕赤虯持一版書若太古篆或霹靂石文者云當召長吉長吉了不能讀欻下榻叩頭言阿嬭（長吉學語時呼太夫人云）老且病賀不願去緋衣人笑曰帝成白玉樓立召君爲記天上差樂不苦也長吉獨泣邊人盡見之少之長吉氣絕常所居窗中㪍㪍有煙氣聞行車嘒管之聲太夫人急止人哭待之如炊五斗黍許時長吉竟死王氏姊非能造作謂長吉者實所見如此嗚呼天蒼蒼而高也上果有帝耶帝果有苑囿宮室觀閣之玩耶苟信然則天之高邈帝之尊嚴亦宜有人物文彩愈此世者何獨番番於長吉而使其不壽耶噫又豈世所謂才而奇者不獨地上少即天上亦不多耶長吉生二十七年位不過奉禮太常中當時人亦多排擯毀斥之又豈才而奇者帝獨重之而人反不重耶又豈人見會勝帝耶

梓人傳　柳宗元

裴封叔之第在光德里有梓人款其門願傭隙宇而處焉所職尋引規矩繩墨家不居礱斲之器問其能曰吾善度材視棟宇之制高深圓方短長之宜吾指使而羣工役焉捨我衆莫能就一宇故食於官府吾受祿三倍作於私家吾收其直太半焉他日入其室其牀闕足而不能理曰將求他工余甚笑之謂其無能而貪祿嗜貨者其後京兆尹將飾官署余往過焉委羣材會衆工或執斧斤刀鋸皆環立嚮之梓人左持引右執杖而中處焉量棟宇之任視木之能舉揮其杖曰斧彼執斧者奔而右顧而指曰鋸彼執鋸者趨而左俄而斤者斲刀者削皆視其色俟其言莫敢自斷者其不勝任者怒而退之亦莫敢慍焉畫宮於堵盈尺而曲盡其制計其豪氂而構大廈無進退焉既成書於上棟曰某年某月某日某建則其姓字也凡執用之工不在列余圜視大駭然後知其術之工大矣繼而歎曰彼將捨其手藝專其心智而能知體要者歟吾聞勞心者役人勞力者役於人彼其勞心者歟能者用而智者謀彼其智者歟是足爲佐天子相天下法矣物莫近乎此也彼爲天下者本於人其執役者爲徒隸爲鄉師里胥其上爲下士又其上爲中士爲上士又其上爲大夫爲卿爲公離而爲六職判而爲百役外藩四海有方伯連帥郡有守邑有宰皆有佐政其下有胥吏又其下皆有嗇夫版尹以就役焉猶衆工之各有執伎以食力也彼佐天子相天下者舉而加焉指而使焉條其綱紀而盈縮焉齊其法制而整頓焉猶梓人之有規矩繩墨以定制也擇天下之士使稱其職居天下之人使安其業視都知野視野知國視國知天下其遠近細大可以據其圖而究焉猶梓人畫宮於堵而績于成也能者進而由之使無所德不能者退而休之亦莫敢慍不衒能不矜名不親小勞不侵衆官日與天下之英才論其大經猶梓人之善運衆工而不伐藝也夫然後相道得而萬國理矣相道既得萬國既理天下舉首而望曰吾相之功也後之人循蹟而慕曰彼相之才也士或談殷周之理者曰伊傅周召其百執事之勞勤而不

得紀焉猶梓人自名其功而執用者不列也大哉相乎通是道者所謂相而已矣其不知體要者反此以恪勤爲公以簿書爲尊衒能矜名親小勞侵衆官竊取六職百役之事听听於府廷而遺其大者遠者焉所謂不通是道者也猶梓人而不知繩墨之曲直規矩之圓方尋引之短長姑奪衆工之斧斤刀鋸以佐其藝又不能備其工以至敗績用而無所成也不亦謬歟或曰彼主爲室者儻或發其私智牽制梓人之慮奪其世守而道謀是用雖不能成功豈其罪耶亦在任之而已余曰不然夫繩墨誠陳規矩誠設高者不可抑而下也狹者不可張而廣也由我則固不由我則圮彼將樂去固而就圮也則卷其術默其智悠爾而去不屈吾道是誠良梓人耳其或嗜其貨利忍而不能捨也喪其制量屈而不能守也棟橈屋壞則曰非我罪也可乎哉可乎哉余謂梓人之道類於相故書而藏之梓人蓋古之審曲面勢者今謂之都料匠云余所遇者楊氏潛其名

郭橐駝傳

郭橐駝不知始自何名病僂𤸇然伏行有類橐駝者故鄉人號之駝駝聞之曰甚善名我固當因捨其名亦自謂橐駝云其鄉曰豐樂鄉在長安西駝業種樹凡長安豪家富人爲觀游及賣果者皆爭迎取養視駝所種樹或移徙無不活且碩茂蚤實以蕃他植者雖窺伺傚慕莫能加也有問之對曰橐駝非能使木壽且孳也以能順木之天以致其性焉爾凡植木之性其本欲舒其培欲平其土欲故其築欲密既然已勿動勿慮去不復顧其蒔也若子其置也若棄則其天者全而其性得矣故吾不害其長而已非有能碩茂之也不抑耗其實而已非有能蚤而蕃之也他植者則不然根拳而土易其培之也若不過焉則不及茍有能反是者則又愛之太恩殷一作憂之太勤旦視而暮撫已去而復顧甚者爪其膚以驗其生枯搖其本以觀其疏密而木之性日以離矣雖曰愛之其實害之雖曰憂之其實讎之故不我若也吾又何能爲哉問者曰以

子之道移之官理可乎駝曰我知種樹而已理非吾業也然吾居鄉見長人者好煩其令若甚憐焉而卒以禍旦暮吏來而呼曰官命促爾耕勖爾植督爾穫蚤繅而緒蚤織而縷字而幼孩遂而雞豚鳴鼓而聚之擊木而召之吾小人輟飧饔以勞吏且不得暇又何以蕃吾生安吾性耶故病且怠若是則與吾業者其亦有類乎問者嘻曰不亦善夫吾問養樹而得養人術傳其事以爲官戒也

李赤傳

李赤江湖浪人也嘗曰吾善爲歌詩詩類李白故自號曰李赤遊宣州州人館之其友與俱遊者有姻焉閒累日乃從之館赤方與婦人言其友戲之赤曰是媒我也吾將娶乎是友大駭曰足下妻固無恙太夫人在堂安得有是豈狂易病惑耶取絳雪餌之赤不肎服有閒婦人至又與赤言即取巾經其脰赤兩手助之舌盡出其友號而救之婦人解其巾走去赤怒其友曰汝無道吾將從吾妻汝何爲者赤乃就牖閒爲書輾而圓封之又爲書博而封之訖

如廁久其友從之見赤軒廁抱甕詭笑而側視勢且下入乃倒曳得之又大怒曰吾已升堂面吾妻吾妻之容世固無有堂宇之飾宏大富麗椒蘭之氣油然而起顧視汝之世猶溷廁也而吾妻之居與帝居鈞天清都無以異若何苦余至此哉然後其友知赤之所遭乃廁鬼也聚僕謀曰亟去是廁遂行宿三十里夜赤又如廁久從之且復入矣持出洗其污衆環之以至旦去抵他縣縣之吏方宴赤拜揖跪起無異者酒行友未及言飲已而顧赤則已去矣走從之赤入廁舉其牀拒門門堅不可入其友叫且言之衆發牆以入赤之面陷不潔者半矣又出洗之縣之吏更召巫師善呪術者守赤赤自若也夜半守者怠皆睡及覺更呼而求之見其足於廁外赤死久矣猶得尸歸其家取其所封書讀之盖與其母妻訣其言詞猶人也柳先生曰李赤之傳不誣矣是其病心而爲是耶抑固有廁鬼也赤之名聞江湖閒其始爲士無以異於人也一惑於怪而所爲若是乃反以世爲溷溷爲帝居清都其屬意明白今

世皆知笑赤之惑也及至是非取與向背決不爲赤者幾何人耶反修而身無以欲利好惡遷其神而不返則幸耳又何暇赤之笑哉

文粹卷第九十九

文粹卷第九十九

跋

反修而身無以欲利害遷其神而不返則幸耳文何眼亦之[illegible]
道昔知矣亦之跋也乃今見之井取與向昔決小悠然者幾何人[illegible]

文粹卷第一百

傳錄紀事 總一十二首　　吳興　姚鉉　纂

孫氏西齋錄　孫樵

孫樵謂陸長源唐春秋乃編年雜錄因掇其絜切峭獨可以示懲勸者擲其叢冗凡屑不足以警訓者自為十八通書號孫氏西齋錄起高祖之初洎武皇之終首廟號以表元首日月以表事向功力正刑名登崇善良蕩戮兇回有所鯁避則微文示譏無所顧慄則直書志惡所謂高祖殺太子建成者何黜功徇愛譏失教也（太宗有大功宜嗣有天下高祖不當立建成為太子至有六月二十四日事故書曰高祖殺太子建成）李勣立皇后武氏者何忘諫贊惡懲廢命也（李勣為顧命大臣儻堅諫不奪高宗不敢立武氏為后故書曰李勣立皇后武氏）起王后已廢之魂上配天皇者何登嫌黜家不可謂順予懼後世疑於禘祼也（高宗廢王立武武乃貞觀侍女何以列昭穆故特以王后配高宗示天后有嫌於禘祼）條天后擅政之年下繫中宗者何紫色閏位不可謂正予懼後世牽

以稱臨也（天后改元卽眞今悉以天后年號及行事繫于中宗示女子不得改元有政也）崔察賊殺中書令裴（名犯武宗廟諱）者何詭誕梯亂肇殺機也（裴爲顧命大臣屢白天后歸政御史崔察廷詰曰裴君不有異謀何故使太后歸政天后遂怒斬裴於都亭驛故書日崔察賊殺中書令裴也）張守珪以安祿山叛者何貸刑哱教稔禍階也（祿山乃張守珪部將嘗犯令張曲江令守珪殺之守珪不從卒使亂天下故書日張守珪以安祿山叛他皆做此）稱天下殺者何罪暴天下示衆與殺也稱天子殺者何死非其罪示衆不與殺也臣或不書卒者何不以直終去卒以示貶也君或不書葬者何不以正終去葬以示譏也懼怠去瑞示戒志沴尚德必書賤尸位則黜貴皆所以敺邪合正俾歸大義（則前所謂起王后亂天皇條天后年號行事繫于中宗之類）操實實例以示懲勸（則前所謂李勣立皇后武氏張守珪以安祿山叛之類）嗚呼宰相昇沈人於十數年間史官出沒人於千百歲後是史官與宰相分挈死生權也爲史官者不能扞忠骨於枯墳鬱諂魂於下泉磨豪黷札叢閣飽帙豈國家任史官意耶

樵既序其略授其友高錫望傳之矣

燕將錄　杜牧

譚忠者絳人也祖瑤天寶末令內黃死燕寇忠豪健喜兵始去燕燕牧劉濟與二千人障白狼口（山名契丹路）後將漁陽軍留范陽元和五年中黃門出禁兵伐趙魏牧田季安合其徒曰師不跨河二十五年矣今一旦越魏伐趙趙誠虜魏亦虜矣計爲之何其徒有超佐伍而言曰願借騎五千以除君憂季安大呼曰壯矣哉兵決出格沮者斬忠其時爲燕使魏知其謀乃入謂季安曰某之謀是引天下之兵也何者往年王師取蜀取吳算不失一是相臣之謀今越魏伐趙不使耆臣宿將而專付中臣不輸天下之甲而多出禁甲君知誰爲之謀此乃天子自爲之謀欲將夸服於臣下也今若師未叩趙而先碎於魏是上之謀反不如下且能不恥於天下乎既恥且怒於是任智畫策仗猛將練精兵畢力再舉涉河鑑前之敗必不越魏而伐趙校罪輕重必不先趙而後魏是上不上下不下當魏而來也季安曰然則若之何忠曰王師入魏君厚犒之於是悉甲壓境號曰伐趙則可陰遺趙人書曰魏若伐趙則河北義

士謂魏賣友魏若與趙則河南忠臣謂魏反君賣友反君之名魏
不忍受執事若能陰解障障遺魏一城魏得持之奏捷天子以爲
符信此乃使魏北得以奉趙西得以爲臣於趙有角尖之秏於魏
獲不世之利執事豈能無意於趙乎趙人脫不拒君是魏霸基安
矣季安曰善先生之來是天脅魏也遂用忠之謀與趙陰計得其
堂陽（縣名屬冀州）忠歸燕謀欲激燕伐趙會劉濟合諸將曰天子知我
怨趙今命我伐之趙亦必大備我伐與不伐孰利忠疾對曰天子
終不使我伐趙趙亦不備燕劉濟怒曰爾何不直言濟以趙叛命忠
繫獄因使人視趙果不備燕後一日詔果來曰燕南有趙北有胡
胡猛趙孱不可捨胡而事趙也燕其爲予謹護北疆勿使予復挂
胡憂而得專心於趙此亦燕之功也劉濟乃解獄召忠曰信如子
斷矣何以知之忠曰潞牧盧從史外親燕內實忌之外絕趙內實
與之此爲趙畫曰燕以趙爲障雖怨趙必不殘趙不必爲備一且
示趙不敢抗燕二且使燕獲疑天子趙人既不備燕潞人則走告
于天子曰燕厚怨趙今趙見伐而不備燕是燕反與趙也此所以
知天子終不使君伐趙趙亦必不備燕劉濟曰今則柰何忠曰燕
孕怨天下無不知今天子伐趙君坐全燕之甲一人未濟易水此
正使潞人將燕賣恩於趙敗忠於上兩皆售也是燕貯忠義之心
卒染私趙之口不見德於趙人惡聲徒嘈嘈於天下耳惟君熟思
之劉濟曰吾知之矣乃下令軍中曰五日畢出後者醢以徇濟乃
自將七萬人南伐趙屠饒陽束鹿（二縣屬深州）殺萬人暴卒于師濟子
總襲職忠復用事元和十四年春趙人獻城十二（德州管平原安陵長河棣州管
厭次河陽信齊平昌將陵蒲臺渤海）冬誅齊三分其地忠因說總曰凡天地數窮合
必離離必合河北與天下相離六十年矣此數之窮也必與天地
復合且建中時朱泚搏天子狩畿甸李希烈僭于梁王武俊稱趙
朱泚稱冀田悅稱魏李納稱齊郡國往往弄兵者低目而視當此
之時可爲危矣然天下卒於無事自元和已來劉闢守蜀棧道劒
閣自以爲子孫世世之地然畢卒三萬數月見羈李錡橫大江撫

石頭全趙之兵不得一戰反束縛帳下田季安守魏盧從史守潞皆天下之精甲篤趙爲騎鼎立相視可爲彊矣然從史繞壍五十里萬戟自護身如大醉忽在轞車季安死墳杵未收家爲逐客蔡人被重葉之甲圓三石之弦持九尺之刃突前跳後卒好忽如搏鶚一可枝百者累數萬人四歲不北二三可爲堅矣然夜半大雪忽失其城齊人經地數千里倚渤海牆泰山壍大河精甲數億鈴劒其阨可爲安矣然兵折於潭趙（地名鄆西六十里）首竿於都市此皆君之自見亦非人力所能及蓋上帝神兵下來誅之耳今天子巨謀纖計必平章於大臣鋪樂張獵未嘗戴星徘徊顧玩之臣顏瀏不展縮衣節口以賞戰士此志豈須臾忘於天下哉今國兵駸駸北來趙人已獻城十二助魏破齊惟燕未得一日之勞爲子孫壽後世豈能帖帖無事乎吾深爲君憂之總泣且拜曰自數月來未聞先生之言今也幸枉大教吾心定矣明年春劉總出燕卒于趙忠護總喪來數日亦卒年六十四官至御史大夫忠弟憲前范陽安次令持兄喪歸葬于絳常往來長安開元年孟春某遇於馮翊屬縣北徼中因吐其兄之狀某因直書其事至於褒貶之閒俟學春秋者焉

書田將軍邊事

孫樵

背臨邛南馳越二百里得嚴道郡寶與沈黎越巂俱爲邊城偪於羣蠻田在賓將軍刺嚴道三年能條悉南蠻事爲樵言曰巴蜀西迫於戎南偪於蠻宜其有以制之者當廣德建中之閒西戎兩飲馬於岷江其眾如蟻前鋒魁健皆擐五屬之甲持倍尋之戟徐呼按步且戰且進蜀兵遇鬭如植橫堵羅戈如林發矢如蝱皆折刃吞鏃不能斃一戎而況陷其陣乎然其戎兵踐吾地日深而疫死者日眾即自度不能留亦輒引去故蜀人爲之語曰西戎尙可南蠻殘我自南康公鑿青谿道以和羣蠻俾由蜀而貢又擇羣蠻子弟聚於錦城使習書算業就輒去復以他繼如此垂五十年不絕其來則其學於蜀者不啻千百故其國人皆能習知巴蜀土風山

川要害文皇帝三年南蠻果大入成都門其三門四日而旋其所
剽掠自成都以南越巂以北八百里之間民畜爲空加以敗卒貧
民持兵羣聚因緣劫殺官不能禁由是西蜀十六州至今爲病自
是以來羣蠻嘗有屠蜀之心待則息畜聚粟動則練兵講武而又
俾其習於蜀者伺連帥之間隙察兵賦之虛實或聞蜀之細民苦
於重征且將啟之以幸非常李丞相固言鎮西蜀時其有編民李權者遺書通蠻言蜀無備可取狀邊
城獲之案問得實遂棄市至今或有踵其所爲者吾不知羣蠻此舉大劍以南爲國家所
有乎且每歲發卒以戍南者皆成都頑民飽稻飫豕十九如瓠雖
知鉦鼓之數不習山川之險吾常伺其來朔風正嚴殘步坦途日
次一舍固以呀然汗矣而況歷重阻即巖程束甲而趨挾戟而鬬
耶加以爲將者刻薄以自入饋運者縱吏以鼠竊縣官當給帛則
以楛而易良當賑粟則以沙而參粒每歲當給帛主將輒先市輕帛以易重帛然後散諸邊卒
當給邊下吏必先盜其米然後以沙補足數以給邊卒常以爲怨如此則邊卒將怨望之不暇又
惡能殊死而力戰乎此巴蜀所以爲憂也樵曰誠如將軍言苟爲
國家計者孰若詔嚴道沈黎越巂三城太守俾度其要害案其壁
壘得自募卒以守之且兵籍於郡則易爲役卒出於邊則習其險
而又各於其部繕相美地分卒爲屯春夏則耕蠶以資其衣食秋
冬則嚴壁以俟其寇虜連帥即能督之歲遣廉白吏視其卒之有
無劾其守之不法者以聞如此則縣官無饋運之費奸吏無因緣
之盜兵足食給卒無胥怨於將軍何如田將軍曰如此何患言卒
遂書

段太尉逸事狀　柳宗元

太尉始爲涇州刺史時汾陽王以副元帥居蒲王子晞爲尚書領
行營節度使寓軍邠州縱士卒無賴邠人偷嗜暴惡者率以貨竄
名軍伍中則肆志吏不得問日羣行匄取於市不嗛輒奮擊折人
手足椎釜鬲甕盎盈道上袒臂徐去至有撞殺孕婦人邠寧節度
使白孝德以王故戚不敢言太尉自州以狀白府願計事至則曰
天子以生人付公理公見人被暴害因恬然且大亂若何孝德曰

願奉教太尉曰某爲涇州甚適少事今不忍人無寇暴死以亂天子邊事公誠以都虞候命某者能爲公已亂使公之人不得害孝德曰幸甚如太尉請既署一月晞軍士十七人入市取酒又以刃刺酒翁壞釀器酒流溝中太尉列卒取十七人皆斷頭挂槊上植市門外晞一營大譟盡甲孝德震恐召太尉曰將奈之何太尉曰無傷也請辭於軍孝德使數十人從太尉太尉盡辭去解佩刀選老躄者一人持馬至晞門下甲者出太尉笑且入曰殺一老卒何甲也吾戴吾頭來矣甲者愕因諭曰尚書固負若屬耶副元帥固負若屬耶奈何欲以亂敗郭氏爲白尚書出聽我言晞出見太尉太尉曰副元帥勳塞天地當務始終今尚書恣卒爲暴暴且亂亂天子邊欲誰歸罪罪且及副元帥今邠人惡子弟以貨竄名軍籍中殺害人如是不止幾日必大亂亂由尚書出人皆曰尚書倚副元帥不戢士然則郭氏功名其與存者幾何言未畢晞再拜曰公幸教晞以道恩甚大願奉軍以從顧叱左右皆解甲散還火

伍中敢譁者死太尉曰吾未晡食請假設草具既食曰吾疾作願留宿門下命持馬者去且曰明旦來遂臥軍中晞不解衣戒候卒擊柝衛太尉旦俱至孝德所謝不能請改過邠州由是無禍先是太尉在涇州爲營田官涇大將焦令諶取人田自占數十頃給與農曰田且熟歸我半是歲大旱野無草農以告諶諶曰我知入數而已不知旱也督責益急農且饑死無以償即告太尉太尉判狀辭甚巽使人來諭諶諶盛怒召農者曰我畏段某耶何敢言我取判鋪背上以大杖擊二十垂死輿來庭中太尉大泣曰乃我困汝即自取水洗去血裂裳衣瘡手注善藥旦夕自哺農者然後食取騎馬賣市穀代償使勿知淮西寓軍帥尹少榮剛直士也入見諶大駡曰汝誠人耶涇州之野如赭人且饑死而必得穀又用大杖擊無罪者段公仁信大人也而汝不知敬今段公惟一馬賤賣市穀入汝汝又取之不恥凡爲人傲天災犯大人擊無罪者又取仁者穀使主人出無馬汝將何以視天地尚不愧奴隷耶諶雖暴抗

然聞其言則大愧汗流不能食曰吾終不可以見段公一夕自恨死及太尉自涇州以司農徵戒其族過岐朱泚必致貨幣愼勿納及過泚果致大綾三百疋太尉壻韋晤堅拒不得命至都太尉怒曰果不用吾言晤謝曰處賤無以拒也太尉曰然終不以在吾第以綾如司農治事堂棲之梁木上泚反太尉終吏以告泚泚取視其故封識具存

太尉逸事如右

元和九年月日永州司馬員外置同正員柳宗元謹上史館今之稱太尉大節者以爲武人一時奮不慮死以取名天下不知太尉之所立如是宗元嘗出入岐周邠斄閒過眞定北上馬嶺歷亭鄣戍堡竊好問老校退卒能言其事太尉爲人煦煦常低首拱手促步言氣卑弱未嘗以色待物人視之儒者也遇不可必達其志決非偶然者會州刺史崔公來言信行直備得太尉遺事覆校無疑或恐尙逸墜未集太史氏敢以狀私於執事謹狀

拾甲子年事 羅隱

大和中張谷納邯鄲人李嚴女備歌舞具及長大妍麗豐足殆不似下賤物又能傳故都聲以奉課人權沮（以上六字疑譌）有時涼曉哀轉歷歷見趙家之遺臺老樹雖驚離弔往之懷似不能多也雅爲谷所愛因目曰新聲及劉從諫得父封谷以窮遊佐其事新聲亦從去然性本便慧雖谷之起居謀慮皆預有承迎故頗聞中外消息時從諫得志後句聚亡命以窺脇朝廷大爲四方人怪訝有實其事於谷者谷不以介意新聲曰妾於公直巾屨閒狎玩者耳除歌酒外不當以應顧命然食人之食憂人之憂理之常也況妾乎前日天子授從諫節度使時非從諫有戰野之功拔城之績蓋以其先父挈齊還我去就閒未能奪其嗣耳而公不幸爲其屬則奉制之道在此不在彼也自劉氏奄有全趙更改歲時未嘗閒以一縷一號爲天子壽而指使輩率無賴人且章武朝數鎭顚覆皆以雄才傑器尙不能固天子恩況從諫權自兒女子手中一旦襲荷家

業苟不以法而得亦宜以不法而終此倚伏之常數也而又卒伍佻險言語不祥是不爲齊鬼所酬而死於帳下者幸矣孰謂公從其事反不知其事者哉如不能早折其肘臂以作天子計則宜脫族西去大丈夫勿顧一飯恩以骨肉腥健兒衣食言訖悲涕流落谷不決者三月新聲復進以其業不用也縊殺之會昌中從諫死以其子露父意族之谷竟從逆嗚呼謀及婦人者必亡而新聲之言惜其不用余前過太行時有傳吏能道當時事因拾於編簡

書何易于　　孫樵

何易于嘗爲益昌令縣距刺史治所四十里城嘉陵江南刺史崔朴嘗乘春自上遊多從賓客歌酒泛舟東下直出益昌旁至則索民挽舟易于即自腰笏引舟上下刺史驚叫問狀易于曰方春百姓不耕即蠶隙不可奪易于爲屬令當其無事可以充役刺史與賓客跳出舟偕騎還去益昌民多即山樹茶利私自入會鹽鐵官奏重榷筦詔下所在不得爲百姓匿易于視詔曰益昌不征茶百姓尚不可活矧厚其賦以毒民乎命吏剗去吏爭曰天子詔所在不得爲百姓匿今剗去罪愈重吏止死明府公寧免竄海裔耶易于曰吾寧愛一身以毒一邑民乎亦不使罪蔓爾曹即自縱火焚之觀風使聞其狀以易于挺身爲民卒不加劾邑民死喪子弱業破不能具葬者易于輒出俸錢使吏爲辦百姓入常賦有垂白僂杖者易于必召坐與食問政得失庭有競民易于輒親自與語爲指白枉直罪小者勸大者杖悉立遣之不以付吏治益昌三年獄無繫民民不知役改綿州羅江令其治視益昌是時相國裴公出鎮綿州獨能嘉易于治嘗從觀其政導從不過三人其全易于廉約如此會昌五年樵道出益昌民有能言何易于治狀者且曰天子設上下考以勉吏而易于考止中上何哉樵曰易于督賦何如曰上請貸期不欲緊繩百姓使賤出粟帛督役何如曰度支費不足遂出俸錢冀優貧民饋給往來權勢何如曰傳符外一無所與擒盜何如曰無盜樵曰余居長安中十年歲聞給事中校考則曰

某人爲某縣得上下考某人由上下考得某官問其政則曰某人能督賦先期而畢某人能督役省度支費某人當道能得往來達官爲好言某人能擒若干盜縣令得上下考者如此邑民不對笑去樵以爲當世在上位者皆知求才爲切至於緩急補吏則曰吾患無以共治膺命舉賢則曰吾患無以塞詔及其有之知者何人哉繼而言之使何易于不有得於生必有得於死者以其有史官在（自權以至官在七十五字從全唐文補入）

說石烈士　羅隱

石孝忠者生長韓魏間其爲人猛悍多力少年時偷雞殺狗殆不可勝計州里甚苦之後折節事李愬爲愬前驅其信任與愬家人伍元和中蔡人不歸天子用裴丞相計以丞相征蔡若愬者光顔者重胤者皆受丞相指揮明年蔡平天子快之詔刑部韓侍郎撰平蔡碑將所以大丞相功業於蔡州孝忠一旦熟視其文大恚怒因作力推去其碑僅傾陊者再三吏不能止乃執詣節度使悉以聞時章武皇帝方以東北事倚諸將聞是卒也甚訝之命具獄將獘於碑下孝忠度必死也苟虛死則無以明愬功乃僞低畏若不勝案驗吏閔之未知其爲人也孝忠伺吏隙用枷尾拉一吏殺之天子聞之怒且使送闕下及至也亦未異其人因召見曰汝推吾碑殺吾吏爲何孝忠頓首曰臣一死未足以塞責但得面天顔則赤族無恨矣臣事李愬歲久以賤故給事無不聞見平蔡之日臣從在軍前且吳秀琳蔡之奸賊也而愬降之李祐蔡之驍將也而愬擒之蔡之爪牙脫落於是矣及元濟縛雖丞相與二三輩不能先知也蔡平之後刻石紀功盡歸乎丞相而愬第其名與光顔重胤齒愬固無所言矣設不幸更有一淮西其將略如愬者復肯爲陛下用乎賞不當功罰不當罪非陛下所以勸人也臣所以推去碑者不惟明愬之績亦將爲陛下正賞罰之源臣不推碑無以爲吏擒臣不殺吏無以見陛下臣死不容時矣請就刑憲宗既得淮西本末且多其義遂赦之因命曰烈士復召翰林段學士撰淮西

碑一如孝忠語後孝忠隸江陵軍驅使大中末白丞相鎮江陵余求謁丞相府有從事爲余道孝忠事遂次焉將所以教爲人下者

象江太守

李商隱

榮陽鄭璠自象江得怪石六其三聳而銳上又一如世間道士存思圖畫人肺胃肝腎次第懸絡者又一空中而隱外若癰瘻殃疝病不作物者又一色紺冰黏（去聲）而理平漫彈之好聲璠爲象江三年不病瘴平安寢食及還長安無家居婦兒寄止人舍下計輦六石道費俸六十萬璠嗜好有意極類前輩人

華山尉

陶生有恒人善養又善與人遊又善爲官會昌初生病骨熱且死是年長安中進士爲陶生誄者數十人生在時吾已得之矣及既死吾又得之

齊魯二生

程驪

右一人字蟠之其父少良本鄆盜人也晚更與其徒畜牝馬草羸一私作弓矢刀杖學發冢鈔道常就迥遠阬谷無廬徼處依大林木晝夜偵候作奸李師古貪諸土貨下令䘏商鄆與淮海近（一作競）出入天下珍寶日月不絕少良㪉貲以萬數每旬時歸妻子輒置食飲勞其黨後少良老前所羅食有大臠連骨以牙齒稍脫落不能食其妻輒起請黨中少年曰公子與此老父椎埋剽奪十數年意不計天下有活人今其尚不能食況能在公子叔行（胡浪反）耶公子此去必殺之草間無爲鐵門外老捕盜所狙快少良默憚之出百餘萬謝其黨曰老嫗眞解事敢以此爲諸君別衆許之與盟曰事後敗出約不相引少良由是以其貲廢舉貿轉與鄰伍重信義䘏死喪斷魚肉葱薤禮拜畫佛讀佛書不復出里閈意若大君子能悔咎前惡者十五年死子驥卒不知後一日有過其母罵之曰此種不良庸有好事耶驥泣問其語母盡以少良時事告之驥號哭數日不食乃悉散其財踰年驥甚苦貧就里中舉負給薪水灑

埽之事讀書日數千言里先生賢之時與饘粥布帛使供養其母後漸通五經歷代史諸子雜家往往同學人去其師從驥講授又其爲人寬厚滋茂動靜有繩墨人不敢犯烏重胤爲鄆帥喜聞驥與之錢數十萬令市書籍驥復以其餘資諸生其里閭故德少長者亦常來與驥孳息其貨數年復致萬金驥固不以爲己有繩契管楗雜付比近用度費耗了不勘詰道益高開成初相國彭城公遣其客張谷聘之驥不起

劉又

右一人字又不知其所來在魏與焦濛閻冰田滂善任氣重義大軀有膂力嘗出入市井殺牛擊犬豕羅網鳥雀亦或時因酒殺人變姓名遁去會赦得出後流入齊魯始讀書能爲歌詩然恃其故時所爲輒不能俛仰貴人穿屐破衣從尋常人乞匃酒食爲活聞韓愈善接天下士步行歸之既至賦冰柱雪車二詩一旦居盧仝孟郊之上樊宗師以文自任見又拜之後以爭語不能下諸公因

持愈金數斤去曰此諛墓中人所得耳不若與劉君爲壽愈不能止復歸齊魯又之行固不在聖賢中庸之列然其能面道人短長不畏卒禍及得其服義則又彌縫勸諫有若骨肉此其過人無限

宜都內人

武后埶既久頗放縱耽內習不敬宗廟四方日有叛逆防豫不暇時宜都內人以唾壺進思有以諫者后坐帷下倚檀几與語問四方事宜都內人曰大家知古女卑於男耶后曰知內人曰古有女媧亦不正是天子佐伏羲理九州耳後世孃姥有越出房閣斷天下事者皆不得其正多是輔昏主不然抱小兒獨大家革天姓改去釵釧襲服冠冕符瑞日至大臣不敢動眞天子也然今內之弄臣狎人朝夕進御者久未屛去妾疑此未當天意后曰何內人曰女陰也男陽也陽尊而陰卑雖大家以陰主事天然宜體取剛亢明烈以消羣陽陽消然後陰得志也今狎弄日至處大家夫宮尊位其勢陰求陽也陽勝而陰亦微不可久也大家始今日能屛去

男妾獨立天下則陽之剛亢明烈可有矣如是過萬萬歲男子益削女子益專妾之願在此后雖不能盡用然卽日下令誅作明堂者

文粹卷第一百終

文粹卷第一百　終

晉

嗣文子益奉老之頭在此后雖不能盡用然卯目下合謀作明堂

男姿嗣立天下明陽之剛亢明烈可有矣如是過萬萬歲男子益

文粹後序

故姚右史纂唐賢之文百卷用意精博世尤重之然卷帙繁浩人欲傳録未易爲力臨安進士孟琪代襲儒素家富文史爰事摹印以廣流布觀其校之是寫之工鏤之善勤亦至矣噫古之藏書者必芟竹鏟木殫組竭毫盛其藴宏其載乃能有之今是書也積之不盈几袐之不滿笥無煩簡札而坐獲至寶士君子有志于學其將捨諸若夫述作之旨悉於前序此不復云寶元二年嘉平月

殿中侍御史吴興施昌言　敘